사고력 GO!

GO! 미쓰

GO!

Jump

유형 사고력

수학 5-2

차례

구성과 특징

1 핵심 개념 정리

단원별 핵심 개념을 간결하게 정리하여
한눈에 이해할 수 있습니다.

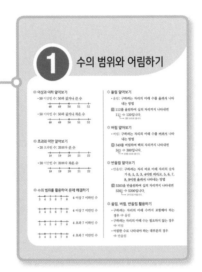

2 대표 유형 익히기

단원별 사고력 문제의 대표 유형을 뽑
아 수록하였습니다. 단계에 따라 문제를
해결하면 사고력 문제도 스스로 해결할
수 있습니다.

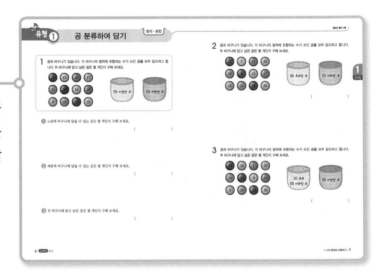

3 사고력 종합 평가

한 단원을 학습한 후 종합 평가를 통하
여 단원에 해당하는 사고력 문제를 잘
이해하였는지 평가할 수 있습니다.

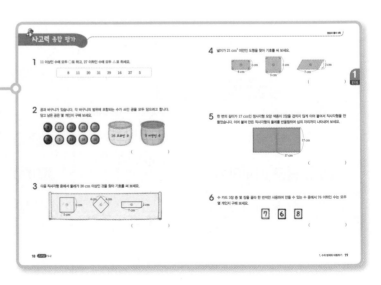

수의 범위와 어림하기

✿ 이상과 이하 알아보기

• 50 이상인 수: 50과 같거나 큰 수

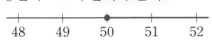

• 50 이하인 수: 50과 같거나 작은 수

✿ 초과와 미만 알아보기

• 20 초과인 수: 20보다 큰 수

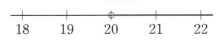

• 20 미만인 수: 20보다 작은 수

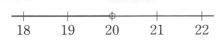

✿ 수의 범위를 활용하여 문제 해결하기

 4 이상 7 이하인 수

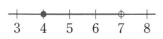 4 이상 7 미만인 수

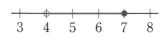 4 초과 7 이하인 수

 4 초과 7 미만인 수

✿ 올림 알아보기

• 올림: 구하려는 자리의 아래 수를 올려서 나타내는 방법

예 112를 올림하여 십의 자리까지 나타내면
112 ➡ 120입니다.
└─➤ 2를 10으로 봅니다.

✿ 버림 알아보기

• 버림: 구하려는 자리의 아래 수를 버려서 나타내는 방법

예 349를 버림하여 백의 자리까지 나타내면
349 ➡ 300입니다.
└─➤ 49를 0으로 봅니다.

✿ 반올림 알아보기

• 반올림: 구하려는 자리 바로 아래 자리의 숫자가 0, 1, 2, 3, 4이면 버리고, 5, 6, 7, 8, 9이면 올려서 나타내는 방법

예 5203을 반올림하여 십의 자리까지 나타내면
5203 ➡ 5200입니다.
└─➤ 3이므로 버립니다.

✿ 올림, 버림, 반올림 활용하기

• 구하려는 자리의 아래 수까지 포함해야 하는 경우 ➡ 올림

• 구하려는 자리의 아래 수는 필요하지 않는 경우 ➡ 버림

• 어림한 수로 나타내야 하는 대부분의 경우 ➡ 반올림

1 공과 바구니가 있습니다. 각 바구니의 범위에 포함되는 수가 쓰인 공을 모두 담으려고 합니다. 두 바구니에 담고 남은 공은 몇 개인지 구해 보세요.

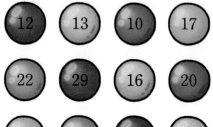

❶ 노란색 바구니에 담을 수 있는 공은 몇 개인지 구해 보세요.

(   )

❷ 파란색 바구니에 담을 수 있는 공은 몇 개인지 구해 보세요.

(   )

❸ 두 바구니에 담고 남은 공은 몇 개인지 구해 보세요.

(   )

2 공과 바구니가 있습니다. 각 바구니의 범위에 포함되는 수가 쓰인 공을 모두 담으려고 합니다. 두 바구니에 담고 남은 공은 몇 개인지 구해 보세요.

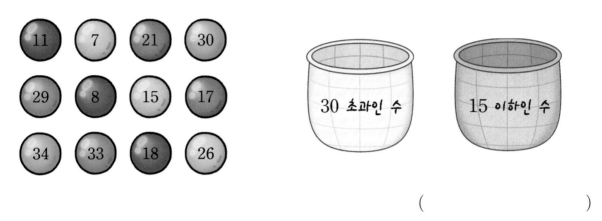

(   )

3 공과 바구니가 있습니다. 각 바구니의 범위에 포함되는 수가 쓰인 공을 모두 담으려고 합니다. 두 바구니에 담고 남은 공은 몇 개인지 구해 보세요.

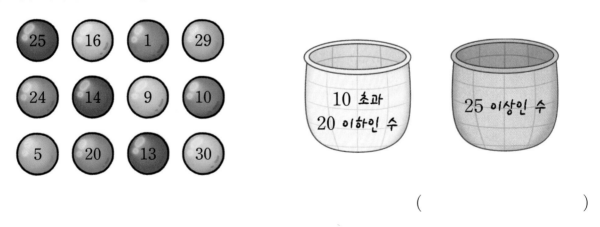

(   )

1 다음 직사각형 중에서 둘레가 18 cm 미만인 것을 찾아 기호를 써 보세요.

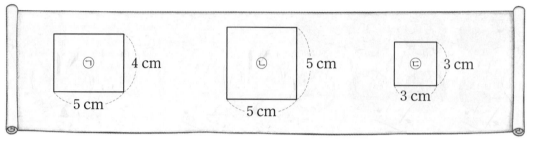

❶ 직사각형 ㉠, ㉡, ㉢의 둘레를 각각 구해 보세요.

㉠ (   )

㉡ (   )

㉢ (   )

❷ 밑줄 친 부분에 수의 범위를 설명하는 말을 써 보세요.

18 미만인 수는 _____ 수입니다.

❸ 둘레가 18 cm 미만인 직사각형의 기호를 써 보세요.

(   )

2 다음 직사각형 중에서 둘레가 24 cm 초과인 것을 찾아 기호를 써 보세요.

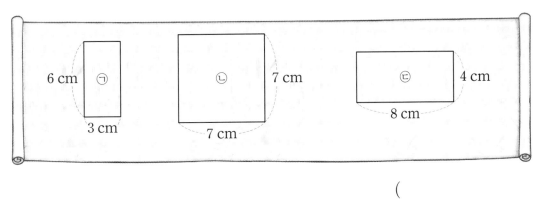

(   )

3 다음 직사각형 중에서 둘레가 20 cm 이상인 것을 모두 찾아 기호를 써 보세요.

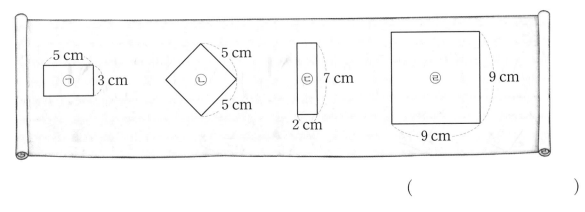

(   )

4 둘레가 30 cm 이하인 도형을 찾아 기호를 써 보세요.

> ㉠ 한 변의 길이가 10 cm인 정사각형
> ㉡ 한 변의 길이가 10 cm인 정삼각형
> ㉢ 가로가 8 cm, 세로가 9 cm인 직사각형
> ㉣ 한 변의 길이가 9 cm인 정오각형

(   )

유형 ③ 조건에 맞는 수 만들기 추론

---

1 수 카드 3장 중 몇 장을 골라 한 번씩만 사용하여 만들 수 있는 수 중에서 19 이상인 수는 모두 몇 개인지 구해 보세요.

| 1 | 5 | 9 |

❶ 수 카드 2장을 골라 만들 수 있는 19 이상인 수는 모두 몇 개일까요?

( )

❷ 수 카드 3장으로 만들 수 있는 19 이상인 수는 모두 몇 개일까요?

( )

❸ 만들 수 있는 19 이상인 수는 모두 몇 개일까요?

( )

2 수 카드 3장 중 몇 장을 골라 한 번씩만 사용하여 만들 수 있는 수 중에서 61 이하인 수는 모두 몇 개인지 구해 보세요.

$$\boxed{6} \quad \boxed{1} \quad \boxed{4}$$

(   )

3 수 카드 3장 중 몇 장을 골라 한 번씩만 사용하여 만들 수 있는 수 중에서 273 미만인 수는 모두 몇 개인지 구해 보세요.

$$\boxed{3} \quad \boxed{2} \quad \boxed{7}$$

(   )

4 수 카드 3장 중 몇 장을 골라 한 번씩만 사용하여 만들 수 있는 수 중에서 50 초과인 수는 모두 몇 개인지 구해 보세요.

$$\boxed{0} \quad \boxed{5} \quad \boxed{8}$$

(   )

유형 ④ 어림한 방법

추론

1 왼쪽의 수를 어림하여 나타낸 수를 오른쪽에서 찾아 선으로 연결한 것입니다. 세 수를 어림한 방법을 알아보세요.

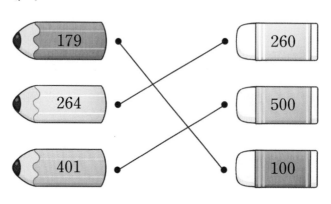

❶ 알맞은 말에 ○표 하세요.

179를 (올림 , 버림 , 반올림)하여 (일 , 십 , 백)의 자리까지 나타낸 수가 100입니다.

❷ 알맞은 말에 ○표 하세요.

264를 (올림 , 버림 , 반올림) 또는 (올림 , 버림 , 반올림)하여 (일 , 십 , 백)의 자리까지 나타낸 수가 260입니다.

❸ 알맞은 말에 ○표 하세요.

401을 (올림 , 버림 , 반올림)하여 (일 , 십 , 백)의 자리까지 나타낸 수가 500입니다.

2 왼쪽의 수를 어림하여 나타낸 수를 오른쪽에서 찾아 선으로 연결한 것입니다. 두 수를 어림한 방법을 알아보세요.

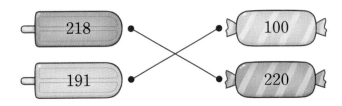

- 218을 [　　　　] 하여 [　] 의 자리까지 나타낸 수가 220입니다.
- 191을 [　　　　] 하여 [　] 의 자리까지 나타낸 수가 100입니다.

3 왼쪽의 수를 어림하여 나타낸 수를 오른쪽에서 찾아 선으로 연결한 것입니다. 세 수를 어림한 방법을 알아보세요.

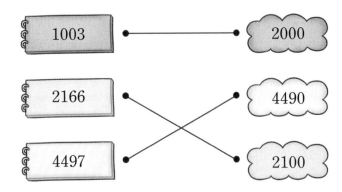

- 1003을 [　　　　] 하여 [　] 의 자리까지 나타낸 수가 2000입니다.
- 2166을 [　　　　] 하여 [　] 의 자리까지 나타낸 수가 2100입니다.
- 4497을 [　　　　] 하여 [　] 의 자리까지 나타낸 수가 4490입니다.

1 수직선에 나타낸 수의 범위에 포함되는 자연수는 모두 9개입니다. ㉠에 알맞은 자연수를 구해 보세요.

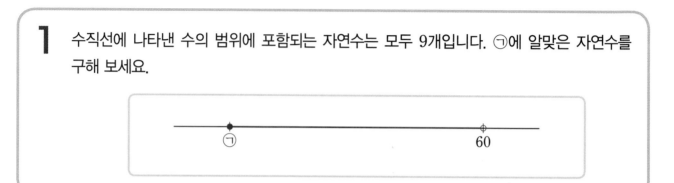

㉠   60

① 수직선에 나타낸 수의 범위를 써 보세요.

㉠ [   ] 60 [   ] 인 수

② 수의 범위에 포함되는 수 중에서 가장 큰 자연수를 써 보세요.

(   )

③ ②에서 구한 수부터 작아지는 수 9개를 써 보세요.

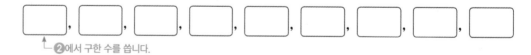

[   ], [   ], [   ], [   ], [   ], [   ], [   ], [   ], [   ]

└─②에서 구한 수를 씁니다.

④ ㉠에 알맞은 자연수를 구해 보세요.

(   )

2 수직선에 나타낸 수의 범위에 포함되는 자연수는 모두 8개입니다. ㉠에 알맞은 자연수를 구해 보세요.

(   )

3 수직선에 나타낸 수의 범위에 포함되는 자연수는 모두 7개입니다. ㉠에 알맞은 자연수를 구해 보세요.

(   )

4 수직선에 나타낸 수의 범위에 포함되는 자연수는 모두 6개입니다. ㉠에 알맞은 자연수를 구해 보세요.

(   )

1 동전을 모은 저금통을 열어 동전의 수를 세어 보니 500원짜리 104개, 100원짜리 120개, 50원짜리 40개, 10원짜리 22개였습니다. 이 돈을 지폐로 바꿀 때, 최대 얼마까지 바꿀 수 있는지 구해 보세요.

  104개  120개

 40개 22개

❶ 모은 돈은 전부 얼마인지 구해 보세요.

( )

❷ 만 원짜리 지폐로만 바꾸면 최대 얼마까지 바꿀 수 있을까요?

( )

❸ 천 원짜리 지폐로만 바꾸면 최대 얼마까지 바꿀 수 있을까요?

( )

2 동전을 모은 저금통을 열어 동전의 수를 세어 보니 500원짜리 200개, 100원짜리 140개, 50원짜리 80개, 10원짜리 35개였습니다. 이 돈을 만 원짜리 또는 천 원짜리 지폐로만 바꿀 때, 최대 얼마까지 바꿀 수 있는지 구해 보세요.

만 원짜리 지폐로만 바꿀 때 (   )

천 원짜리 지폐로만 바꿀 때 (   )

3 동전이 500원짜리 163개, 100원짜리 77개, 50원짜리 21개, 10원짜리 50개가 있습니다. 이 돈을 만 원짜리 또는 천 원짜리 지폐로만 바꿀 때, 최대 얼마까지 바꿀 수 있는지 구해 보세요.

만 원짜리 지폐로만 바꿀 때 (   )

천 원짜리 지폐로만 바꿀 때 (   )

1 11 이상인 수에 모두 ○표 하고, 27 이하인 수에 모두 △표 하세요.

| 8 | 11 | 20 | 31 | 29 | 16 | 27 | 5 |

2 공과 바구니가 있습니다. 각 바구니의 범위에 포함되는 수가 쓰인 공을 모두 담으려고 합니다. 담고 남은 공은 몇 개인지 구해 보세요.

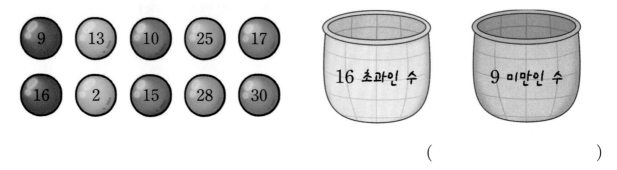

(   )

3 다음 직사각형 중에서 둘레가 20 cm 이상인 것을 찾아 기호를 써 보세요.

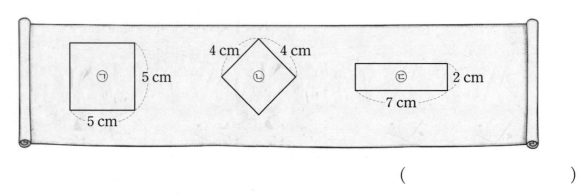

(   )

4 넓이가 21 cm² 미만인 도형을 찾아 기호를 써 보세요.

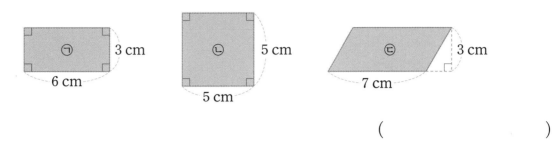

( )

5 한 변의 길이가 17 cm인 정사각형 모양 색종이 2장을 겹치지 않게 이어 붙여서 직사각형을 만들었습니다. 이어 붙여 만든 직사각형의 둘레를 반올림하여 십의 자리까지 나타내어 보세요.

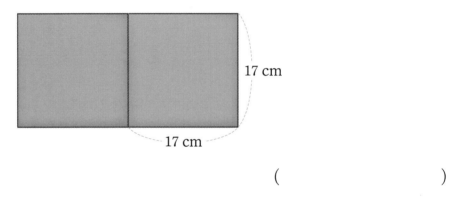

( )

6 수 카드 3장 중 몇 장을 골라 한 번씩만 사용하여 만들 수 있는 수 중에서 76 이하인 수는 모두 몇 개인지 구해 보세요.

( )

7 왼쪽 공의 수를 어림하여 나타낸 수가 오른쪽 공에 쓰여 있습니다. 수를 어림한 방법을 완성해 보세요.

(1)

➡ 598을 [   ]하여 [   ]의 자리까지 나타낸 수가 590입니다.

(2)

➡ 603을 [   ]하여 [   ]의 자리까지 나타낸 수가 700입니다.

8 수직선에 나타낸 수의 범위에 포함되는 자연수가 10개일 때, ㉠에 알맞은 자연수를 구해 보세요.

(   )

9 수직선에 나타낸 수의 범위에 포함되는 자연수가 12개일 때, ㉠에 알맞은 자연수를 구해 보세요.

(   )

10 841을 어림하여 나타낸 수가 800입니다. 어림한 방법을 2가지의 서로 다른 방법으로 써 보세요.

방법1 _____

_____

방법2 _____

_____

11 동전을 모은 저금통을 열어 동전의 수를 세어 보니 500원짜리 176개, 100원짜리 233개, 50원짜리 50개, 10원짜리 18개였습니다. 이 돈을 만 원짜리 또는 천 원짜리 지폐로만 바꿀 때, 최대 얼마까지 바꿀 수 있는지 구해 보세요.

500 한국은행 176개   100 한국은행 233개

50 한국은행 50개   10 한국은행 18개

만 원짜리 지폐로만 바꿀 때 (   )
천 원짜리 지폐로만 바꿀 때 (   )

12 젤리 가게에서 젤리 613개를 만들었습니다. 다음과 같이 젤리를 팔면 받을 수 있는 돈은 최대 얼마일까요?

한 상자에 100개씩 넣어 6500원에 팝니다.

(   )

13 수 카드 4장 중에서 3장을 골라 한 번씩만 사용하여 만들 수 있는 세 자리 수 중에서 358 이상 375 미만인 수는 모두 몇 개인지 구해 보세요.

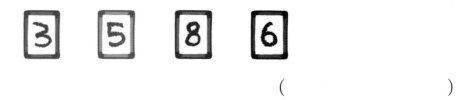

(   )

14 두 범위에 공통으로 포함되는 수의 범위를 알아보려고 합니다. ☐ 안에 알맞은 자연수를 써넣으세요.

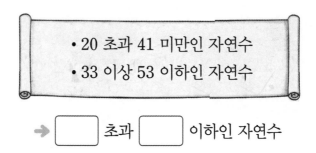

• 20 초과 41 미만인 자연수
• 33 이상 53 이하인 자연수

➡ ☐ 초과 ☐ 이하인 자연수

15 조건 을 모두 만족하는 소수 세 자리 수를 구해 보세요.

조건
• 자연수 부분은 2 초과 3 이하인 수입니다.
• 소수 첫째 자리 수는 5 이상 6 미만인 수입니다.
• 소수 둘째 자리 수는 8입니다.
• 각 자리 수의 합은 20입니다.

(   )

2 분수의 곱셈

❀ (분수) × (자연수)

예 $\dfrac{5}{8} \times 3$의 계산

$$\dfrac{5}{8} \times 3 = \dfrac{5 \times 3}{8} = \dfrac{15}{8} = 1\dfrac{7}{8}$$

(분자) × (자연수)
분모는 그대로

> 분수의 분모는 그대로 두고 분자와 자연수를 곱합니다.
>
> $$\dfrac{\blacktriangle}{\blacksquare} \times \bigstar = \dfrac{\blacktriangle \times \bigstar}{\blacksquare}$$

예 $1\dfrac{5}{6} \times 8$의 계산

$$1\dfrac{5}{6} \times 8 = \dfrac{11}{\overset{}{\underset{3}{6}}} \times \overset{4}{8} = \dfrac{11 \times 4}{3} = \dfrac{44}{3} = 14\dfrac{2}{3}$$

❀ (자연수) × (분수)

예 $6 \times \dfrac{4}{5}$의 계산

$$6 \times \dfrac{4}{5} = \dfrac{6 \times 4}{5} = \dfrac{24}{5} = 4\dfrac{4}{5}$$

(자연수) × (분자)
분모는 그대로

> 분수의 분모는 그대로 두고 자연수와 분자를 곱합니다.
>
> $$\bullet \times \dfrac{\bigstar}{\blacksquare} = \dfrac{\bullet \times \bigstar}{\blacksquare}$$

❀ 진분수의 곱셈

예 $\dfrac{6}{7} \times \dfrac{5}{12}$의 계산

$$\overset{1}{\cancel{\dfrac{6}{7}}} \times \dfrac{5}{\underset{2}{\cancel{12}}} = \dfrac{1 \times 5}{7 \times 2} = \dfrac{5}{14}$$

> 분자는 분자끼리, 분모는 분모끼리 곱합니다.
>
> $$\dfrac{\blacktriangle}{\blacksquare} \times \dfrac{\bigstar}{\bullet} = \dfrac{\blacktriangle \times \bigstar}{\blacksquare \times \bullet}$$

예 $\dfrac{2}{3} \times \dfrac{3}{5} \times \dfrac{4}{9}$의 계산

$$\dfrac{2}{\underset{1}{\cancel{3}}} \times \dfrac{\overset{1}{\cancel{3}}}{5} \times \dfrac{4}{9} = \dfrac{2 \times 1 \times 4}{1 \times 5 \times 9} = \dfrac{8}{45}$$

❀ 여러 가지 분수의 곱셈

예 $1\dfrac{3}{7} \times 2\dfrac{3}{10}$의 계산

$$1\dfrac{3}{7} \times 2\dfrac{3}{10} = \dfrac{10}{7} \times \dfrac{23}{\underset{1}{\cancel{10}}} = \dfrac{23}{7} = 3\dfrac{2}{7}$$

> ① 대분수를 가분수로 나타냅니다.
> ② 분자는 분자끼리, 분모는 분모끼리 곱합니다.

참고 $\dfrac{7}{9} \times 6$에서 6은 $\dfrac{6}{1}$인 분수로 나타내어 (분수) × (분수)로 계산할 수 있습니다.

유형 ① 도형의 둘레 구하기

창의 · 융합

1 보기와 같이 점을 선으로 연결하여 두 도형 가와 나를 만들었습니다. 가와 나 중 어느 도형의 둘레가 몇 m 더 긴지 구해 보세요. (단, 점과 점 사이의 길이는 모두 같습니다.)

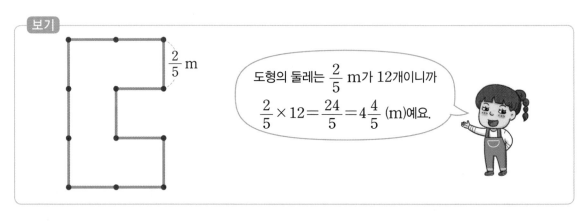

도형의 둘레는 $\frac{2}{5}$ m가 12개이니까
$\frac{2}{5} \times 12 = \frac{24}{5} = 4\frac{4}{5}$ (m)예요.

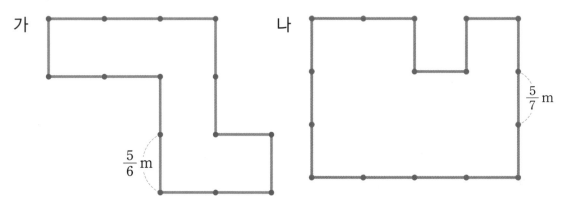

① 도형 가의 둘레는 몇 m인지 구해 보세요.

( )

② 도형 나의 둘레는 몇 m인지 구해 보세요.

( )

③ 가와 나 중 어느 도형의 둘레가 몇 m 더 긴지 차례로 구해 보세요.

( ), ( )

2 정다각형 모양의 액자틀을 만들었습니다. 만든 액자틀의 둘레는 몇 m인지 구해 보세요.

(1)

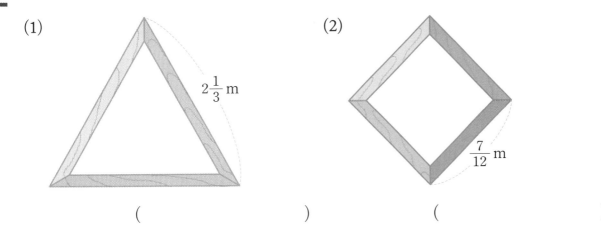

(2)

$2\dfrac{1}{3}$ m

$\dfrac{7}{12}$ m

(   )   (   )

3 한 변의 길이가 $\dfrac{3}{8}$ m인 똑같은 모양의 마름모를 겹치지 않게 이어 붙여 만든 도형입니다. 만든 도형의 둘레는 몇 m인지 구해 보세요.

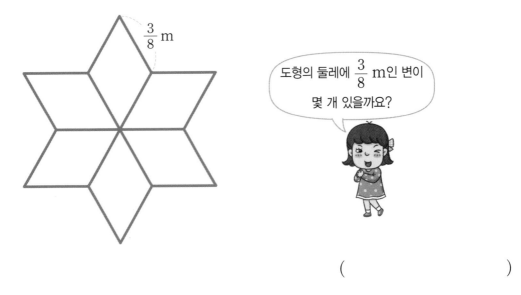

$\dfrac{3}{8}$ m

도형의 둘레에 $\dfrac{3}{8}$ m인 변이 몇 개 있을까요?

(   )

1 다음 그림은 한 변의 길이가 $5\frac{1}{3}$ cm인 정사각형을 그린 다음, 정사각형의 각 변의 가운데 점을 이어 작은 정사각형을 2개 더 그린 것입니다. 색칠한 부분의 넓이는 몇 cm²인지 구해 보세요.

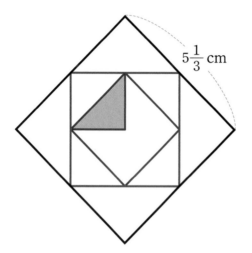

$5\frac{1}{3}$ cm

각 변의 가운데 점을
이어 만든 정사각형의 넓이는
만들기 전 정사각형의
넓이의 반이에요.

❶ 처음 정사각형의 넓이는 몇 cm²인지 구해 보세요.

(   )

❷ 처음 정사각형의 마주 보는 꼭짓점끼리 점선으로 이어 보세요.

❸ 색칠한 부분의 넓이는 처음 정사각형의 넓이의 몇 분의 몇인지 구해 보세요.

(   )

❹ 색칠한 부분의 넓이는 몇 cm²인지 구해 보세요.

(   )

2 다음 그림은 가로가 $5\frac{1}{4}$ cm, 세로가 $2\frac{6}{7}$ cm인 직사각형을 그린 다음, 직사각형의 각 변의 가운데 점을 이어 작은 사각형을 2개 더 그린 것입니다. 색칠한 사각형의 넓이는 몇 cm²인지 구해 보세요.

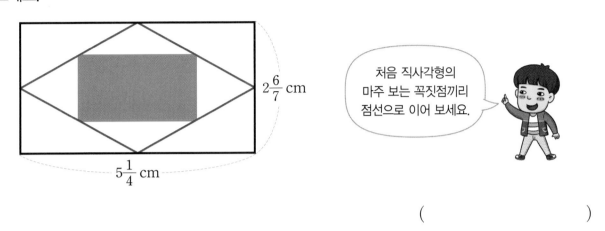

처음 직사각형의 마주 보는 꼭짓점끼리 점선으로 이어 보세요.

(   )

3 다음 그림은 가로가 $9\frac{1}{7}$ cm, 세로가 $1\frac{3}{4}$ cm인 직사각형을 똑같이 나눈 것입니다. 색칠한 부분의 넓이는 몇 cm²인지 구해 보세요.

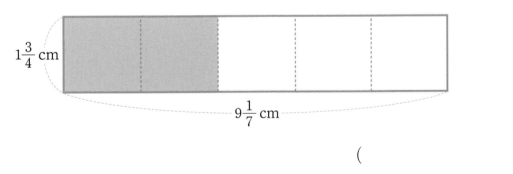

(   )

바르게 계산한 값 구하기

1 어떤 수에 $2\frac{1}{2}$을 곱해야 할 것을 잘못하여 뺐더니 $3\frac{3}{5}$이 되었습니다. 바르게 계산한 값을 구해 보세요.

$\times 2\frac{1}{2}$
바른 계산
?

어떤 수

잘못된 계산
$-2\frac{1}{2}$
$3\frac{3}{5}$

> 바르게 계산한 값을 구하려면 먼저 어떤 수를 구해야 해요.

① 어떤 수를 ☐라 하여 잘못된 식을 써 보세요.

식 _____

② 어떤 수를 구해 보세요.

(   )

③ 바르게 계산한 값을 구해 보세요.

(   )

2 어떤 수에 $5\dfrac{1}{3}$을 곱해야 할 것을 잘못하여 더했더니 $7\dfrac{3}{8}$이 되었습니다. ☐ 안에 알맞은 분수를 써넣고 바르게 계산한 값은 얼마인지 구해 보세요.

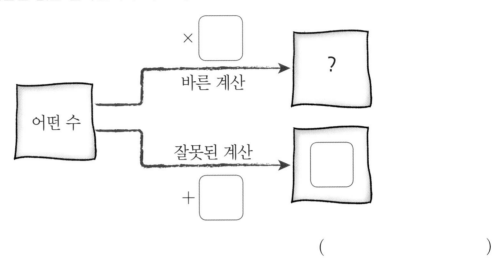

(   )

3 어떤 수에 3을 곱해야 할 것을 잘못하여 더했더니 $5\dfrac{5}{8}$가 되었습니다. 바르게 계산한 값을 구해 보세요.

(   )

4 어떤 수에 $2\dfrac{1}{2}$을 곱해야 할 것을 잘못하여 뺐더니 $3\dfrac{9}{10}$가 되었습니다. 바르게 계산한 값을 구해 보세요.

(   )

1 4장의 수 카드 중에서 3장을 골라 한 번씩만 사용하여 대분수를 만들려고 합니다. 만들 수 있는 가장 큰 대분수와 남은 수와의 곱은 얼마인지 구해 보세요.

[2] [5] [7] [9]

① 가장 큰 대분수를 만들 때 자연수 부분에 어떤 수가 적힌 카드를 놓아야 할까요?

(   )

② ①에서 구한 수를 자연수 부분에 놓고 만들 수 있는 대분수를 모두 써 보세요.

$$\square\dfrac{\square}{5} \qquad \square\dfrac{2}{\square} \qquad \square\dfrac{\square}{\square}$$

③ 만들 수 있는 가장 큰 대분수를 써 보세요.

(   )

④ 가장 큰 대분수를 만들고 남은 수를 써 보세요.

(   )

⑤ 만들 수 있는 가장 큰 대분수와 남은 수와의 곱을 구해 보세요.

(   )

2 4장의 수 카드 중에서 3장을 골라 한 번씩만 사용하여 대분수를 만들려고 합니다. 만들 수 있는 가장 작은 대분수와 남은 수와의 곱은 얼마인지 구해 보세요.

(1) 만들 수 있는 가장 작은 대분수를 구해 보세요.

( )

(2) 만들 수 있는 가장 작은 대분수와 남은 수와의 곱을 구해 보세요.

( )

3 수 카드를 한 번씩만 모두 사용하여 대분수를 만들려고 합니다. 만들 수 있는 가장 큰 대분수와 가장 작은 대분수의 곱은 얼마인지 구해 보세요.

(1) 만들 수 있는 가장 큰 대분수를 구해 보세요.

( )

(2) 만들 수 있는 가장 작은 대분수를 구해 보세요.

( )

(3) 만들 수 있는 가장 큰 대분수와 가장 작은 대분수의 곱을 구해 보세요.

( )

1 한 시간에 132 km를 일정한 빠르기로 달리는 기차가 있습니다. 이 기차가 같은 빠르기로 450 km 떨어진 목적지를 향해 1시간 45분 동안 달렸습니다. 목적지까지 가려면 앞으로 몇 km를 더 가야 하는지 구해 보세요.

우리가 탄 기차가 한 시간에 132 km를 달리는 기차야.

❶ 1시간 45분은 몇 시간인지 기약분수로 나타내어 보세요.

1시간=60분이니까 ▲분=$\frac{▲}{60}$시간이에요.

(   )

❷ 기차는 1시간 45분 동안 몇 km를 갈 수 있는지 구해 보세요.

(   )

❸ 목적지까지 가려면 앞으로 몇 km를 더 가야 하는지 구해 보세요.

(   )

2 준우가 공원을 걷고 있습니다. 같은 빠르기로 40분 동안 걷는다면 몇 km를 걸을 수 있는지 구해 보세요.

난 한 시간에 $4\frac{1}{2}$ km를 일정한 빠르기로 걸어.

준우

(   )

3 한 시간에 78 km를 일정한 빠르기로 달리는 자동차가 있습니다. 이 자동차가 같은 빠르기로 3시간 30분 동안 달린다면 몇 km를 갈 수 있는지 구해 보세요.

(   )

4 재석이는 자전거로 한 시간에 $10\frac{4}{5}$ km를 일정한 빠르기로 달린다고 합니다. 같은 빠르기로 2시간 10분 동안 달린다면 몇 km를 갈 수 있는지 구해 보세요.

(   )

남은 양 구하기

1 영지는 어머니께 용돈으로 8000원을 받았습니다 용돈의 $\frac{2}{5}$는 저금을 했고, 용돈의 $\frac{1}{4}$은 간식을 사 먹었습니다. 영지에게 남은 돈은 얼마인지 구해 보세요.

용돈의 $\frac{2}{5}$

용돈의 $\frac{1}{4}$

남은 돈은 얼마일까?

영지

❶ 영지가 저금한 돈은 얼마인지 구해 보세요.

( )

❷ 영지가 간식을 사 먹은 돈은 얼마인지 구해 보세요.

( )

❸ 영지가 사용한 돈은 모두 얼마인지 구해 보세요.

( )

❹ 영지에게 남은 돈은 얼마인지 구해 보세요.

( )

2 넓이가 600 cm²인 직사각형 모양의 색상지가 있습니다. 혜수는 색상지의 $\frac{5}{12}$는 장미꽃 모양을 접는 데 사용했고, 색상지의 $\frac{1}{5}$은 꽃병 모양을 접는 데 사용했습니다. 혜수가 사용하고 남은 색상지의 넓이는 몇 cm²인지 구해 보세요.

(   )

3 승기는 전체 쪽수가 180쪽인 위인전을 읽고 있습니다. 어제는 책 전체의 $\frac{2}{9}$를 읽었고, 오늘은 어제 읽고 난 나머지의 $\frac{1}{5}$을 읽었습니다. 승기가 오늘 읽은 양은 모두 몇 쪽인지 구해 보세요.

(1) 승기가 어제 읽고 남은 양은 위인전 전체의 얼마일까요?

(   )

(2) 승기가 오늘 읽은 양은 위인전 전체의 얼마일까요?

(   )

(3) 승기가 오늘 읽은 양은 모두 몇 쪽일까요?

(   )

1 정오각형의 둘레는 몇 cm인지 구해 보세요.

$8\frac{5}{7}$ cm

정다각형은 변의 길이가
모두 같아요.

(   )

2 다음과 같이 점을 선으로 연결하여 만든 도형의 둘레는 몇 m인지 구해 보세요. (단, 점과 점 사이의 길이는 모두 같습니다.)

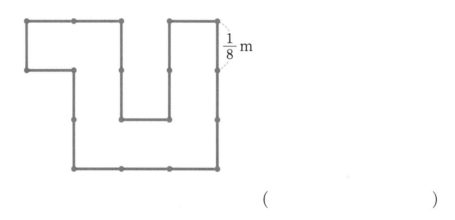

$\frac{1}{8}$ m

(   )

3 ☐ 안에 알맞은 자연수를 모두 구해 보세요.

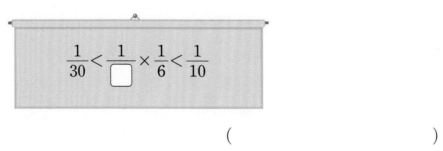

$$\frac{1}{30} < \frac{1}{\boxed{}} \times \frac{1}{6} < \frac{1}{10}$$

(   )

4 6장의 수 카드를 한 번씩 모두 사용하여 3개의 진분수를 만들려고 합니다. 만든 세 분수를 곱하였을 때 가장 작은 곱은 얼마인지 구해 보세요.

(   )

5 색칠한 부분의 넓이는 몇 cm^2인지 구해 보세요.

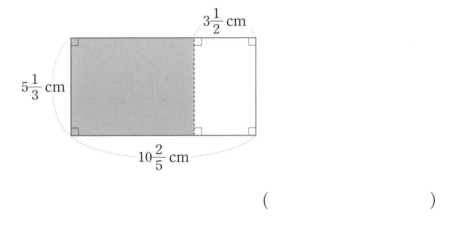

(   )

6 다음 그림은 직사각형을 똑같이 나눈 것입니다. 색칠한 부분의 넓이는 몇 cm^2인지 구해 보세요.

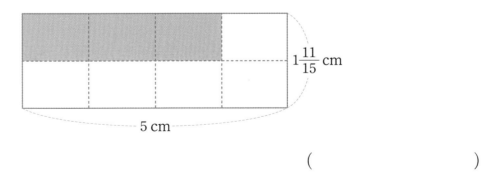

(   )

7 수 카드를 각각 한 번씩만 사용하여 만들 수 있는 가장 큰 대분수와 가장 작은 대분수의 곱은 얼마인지 구해 보세요.

(   )

8 약속 과 같이 계산할 때 9◉10의 값을 구해 보세요.

약속

$$가 ◉ 나 = \left(\frac{나}{가} - \frac{가}{나} \right) \times \frac{나}{가}$$

가에는 9를, 나에는 10을 넣어서 계산해 보세요.

(   )

9 어떤 수에 $3\frac{1}{3}$을 곱해야 할 것을 잘못하여 뺐더니 $1\frac{3}{4}$이 되었습니다. 바르게 계산한 값을 구해 보세요.

(   )

10 주영이는 피자 한 판의 $\frac{3}{8}$을 먹었고 동생은 주영이가 먹고 남은 피자의 $\frac{3}{10}$을 먹었습니다. 동생이 먹은 피자는 전체의 몇 분의 몇일까요?

(   )

2
단원

11 어떤 정사각형의 가로를 $\frac{1}{4}$만큼 줄이고, 세로를 2배로 늘여 직사각형을 만들었습니다. 만든 직사각형의 넓이는 처음 정사각형의 넓이의 몇 배일까요?

(   )

12 도형의 넓이는 몇 cm²인지 구해 보세요.

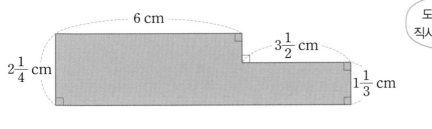

도형을 직사각형 2개로 나눈 다음 직사각형의 넓이를 각각 구해 보세요.

(   )

13 1분에 $2\dfrac{1}{4}$ km를 일정한 빠르기로 달리는 버스가 있습니다. 이 버스가 같은 빠르기로 5분 25초 동안 달린다면 몇 km를 갈 수 있는지 구해 보세요.

(   )

14 한 변의 길이가 $1\dfrac{1}{9}$ cm인 정사각형 모양의 타일 15장을 겹치지 않게 이어 붙였습니다. 타일을 붙인 부분의 넓이는 몇 cm²인지 구해 보세요.

(   )

15 넓이가 200 m²인 밭이 있습니다. 이 밭 전체의 $\dfrac{1}{3}$에는 배추를 심고, 나머지 밭의 $\dfrac{5}{8}$에는 고구마를 심었습니다. 아무것도 심지 않은 밭의 넓이는 몇 m²인지 구해 보세요.

(   )

③ 합동과 대칭

❊ 도형의 합동 알아보기

모양과 크기가 같아서 포개었을 때 완전히 겹치
는 두 도형을 서로 합동이라고 합니다.

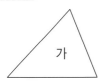 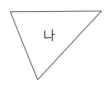

❊ 합동인 도형의 성질 알아보기

서로 합동인 두 도형을 포개었을 때 완전히 겹치
는 점을 대응점, 겹치는 변을 대응변, 겹치는 각
을 대응각이라고 합니다.

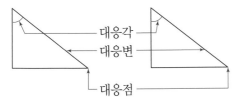

• 서로 합동인 두 도형에서
  각각의 대응변의 길이는 서로 같습니다.
  각각의 대응각의 크기는 서로 같습니다.

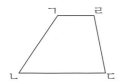 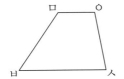

대응변: 변 ㄱㄴ과 변 ㅁㅂ, 변 ㄴㄷ과 변 ㅂㅅ,
　　　　변 ㄷㄹ과 변 ㅅㅇ, 변 ㄹㄱ과 변 ㅇㅁ
대응각: 각 ㄱㄴㄷ과 각 ㅁㅂㅅ,
　　　　각 ㄴㄷㄹ과 각 ㅂㅅㅇ,
　　　　각 ㄷㄹㄱ과 각 ㅅㅇㅁ,
　　　　각 ㄹㄱㄴ과 각 ㅇㅁㅂ

❊ 선대칭도형 알아보기

• 선대칭도형: 한 직선을 따라 접었을 때 완전히
　　　　　　　겹치는 도형

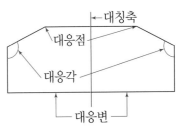

• 선대칭도형에서 각각의 대응변의 길이와 대응
각의 크기는 서로 같습니다. 대응점끼리 이은
선분은 대칭축과 수직으로 만납니다.
대칭축은 대응점끼리 이은 선분을 둘로 똑같이
나눕니다. 각각의 대응점에서 대칭축까지의 거
리는 서로 같습니다.

❊ 점대칭도형 알아보기

• 점대칭도형: 어떤 점을 중심으로 180° 돌렸을
　　　　　　　때 처음 도형과 완전히 겹치는 도형

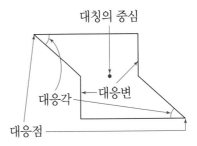

• 점대칭도형에서 각각의 대응변의 길이와 대응
각의 크기는 서로 같습니다. 대칭의 중심은 대
응점끼리 이은 선분을 둘로 똑같이 나눕니다.

1 직사각형 모양의 종이를 잘라서 서로 합동인 도형을 만들려고 합니다. 어떻게 잘라야 할지 알맞게 선을 그어 보세요.

① 서로 합동인 도형 2개 만들기

② 서로 합동인 도형 4개 만들기

③ 서로 합동인 도형 8개 만들기

2 직각삼각형 모양의 종이를 잘라서 서로 합동인 삼각형 4개를 만들려고 합니다. 어떻게 잘라야 할지 알맞게 선을 그어 보세요.

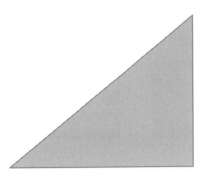

3 정삼각형 모양의 종이를 잘라서 서로 합동인 도형을 만들려고 합니다. 어떻게 잘라야 할지 알맞게 선을 그어 보세요.

(1) 서로 합동인 도형 2개 만들기   (2) 서로 합동인 도형 3개 만들기

(3) 서로 합동인 도형 4개 만들기   (4) 서로 합동인 도형 6개 만들기

유형 ② 대칭축의 수

창의·융합

1 선대칭인 국기를 찾아 대칭축의 수가 가장 많은 것은 어느 나라의 국기인지 알아보세요.

스웨덴 그리스 일본

❶ 스웨덴 국기가 선대칭이라면 대칭축을 모두 그어 보고, 몇 개인지 써 보세요.

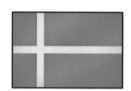

( )

❷ 그리스 국기가 선대칭이라면 대칭축을 모두 그어 보고, 몇 개인지 써 보세요.

( )

❸ 일본 국기가 선대칭이라면 대칭축을 모두 그어 보고, 몇 개인지 써 보세요.

( )

❹ 대칭축의 수가 가장 많은 것은 어느 나라의 국기일까요?

( )

2 선대칭인 국기를 찾아 대칭축의 수가 가장 많은 것은 어느 나라의 국기인지 알아보세요.

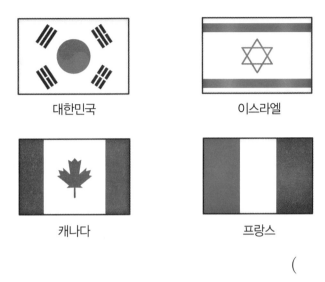

대한민국　　　　　　　이스라엘

캐나다　　　　　　　프랑스

(　　　　　　　)

3 선대칭인 국기를 찾아 대칭축의 수의 합을 구해 보세요.

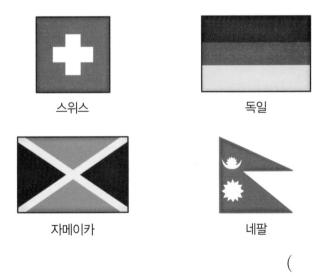

스위스　　　　　　　독일

자메이카　　　　　　네팔

(　　　　　　　)

1 선대칭도형도 되고 점대칭도형도 되는 알파벳을 모두 찾아 써 보세요.

B H M N O S Z

❶ 선대칭도형이 되는 알파벳을 모두 찾아 써 보세요.

(　　　　　　　　　)

❷ 점대칭도형이 되는 알파벳을 모두 찾아 써 보세요.

(　　　　　　　　　)

❸ 선대칭도형도 되고 점대칭도형도 되는 알파벳을 모두 찾아 써 보세요.

(　　　　　　　　　)

2 선대칭도형도 되고 점대칭도형도 되는 자음자를 모두 찾아 써 보세요.

(　　　　　　　　)

3 선대칭도형도 되고 점대칭도형도 되는 글자를 모두 찾아 써 보세요.

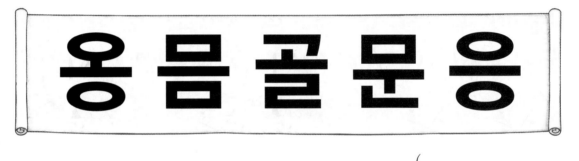

(　　　　　　　　)

4 선대칭도형도 되고 점대칭도형도 되는 모음자를 빈 곳에 써넣어 단어를 완성해 보세요.

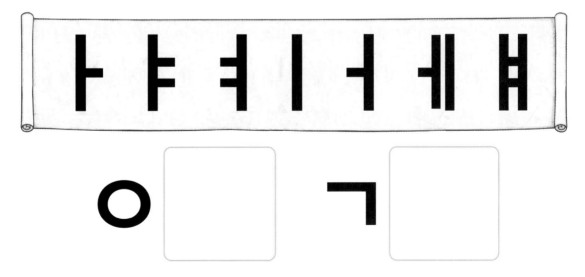

1 점 ㅅ을 대칭의 중심으로 하는 점대칭도형입니다. 도형의 둘레가 64 cm일 때, 변 ㄱㅂ은 몇 cm인지 구해 보세요.

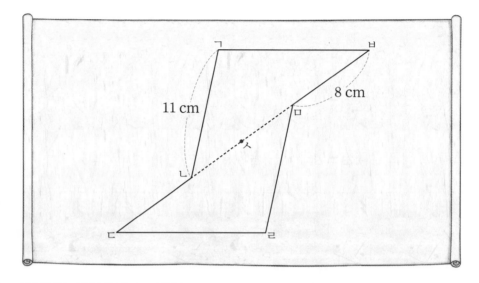

❶ 변 ㄹㅁ은 몇 cm일까요?

(　　　　　　　　　)

❷ 변 ㄴㄷ은 몇 cm일까요?

(　　　　　　　　　)

❸ 변 ㄱㅂ은 몇 cm인지 구해 보세요.

(　　　　　　　　　)

2 점 ㅅ을 대칭의 중심으로 하는 점대칭도형입니다. 도형의 둘레가 70 cm일 때, 변 ㄱㄴ은 몇 cm인지 구해 보세요.

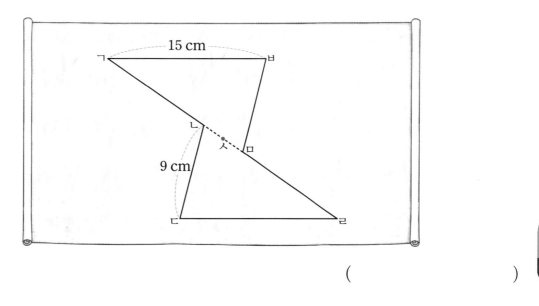

( )

3 점 ㅅ을 대칭의 중심으로 하는 점대칭도형입니다. 삼각형 ㄱㄴㄷ의 둘레는 몇 cm인지 구해 보세요.

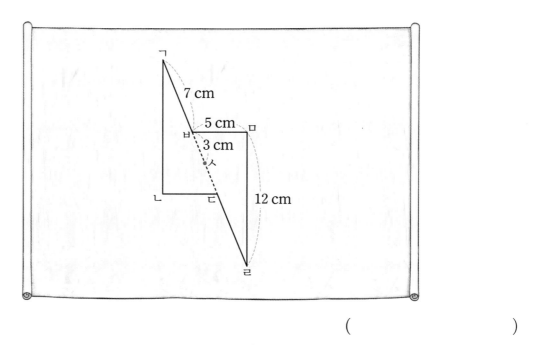

( )

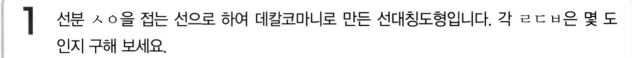
1 선분 ㅅㅇ을 접는 선으로 하여 데칼코마니로 만든 선대칭도형입니다. 각 ㄹㄷㅂ은 몇 도 인지 구해 보세요.

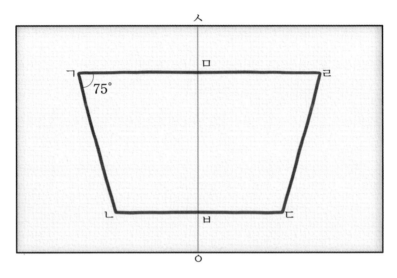

❶ 선분 ㄱㄹ과 선분 ㅅㅇ이 만나서 이루는 각은 몇 도일까요?

(   )

❷ 각 ㅁㄹㄷ은 몇 도일까요?

(   )

❸ 각 ㄹㄷㅂ은 몇 도인지 구해 보세요.

(   )

2 선분 ㅅㅇ을 접는 선으로 하여 데칼코마니로 만든 선대칭도형입니다. 각 ㄱㄴㅂ은 몇 도인지 구해 보세요.

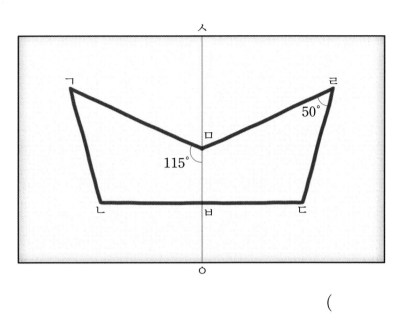

(   )

3 선분 ㅅㅇ을 접는 선으로 하여 데칼코마니로 만든 선대칭도형입니다. 각 ㄴㄱㅁ은 몇 도인지 구해 보세요.

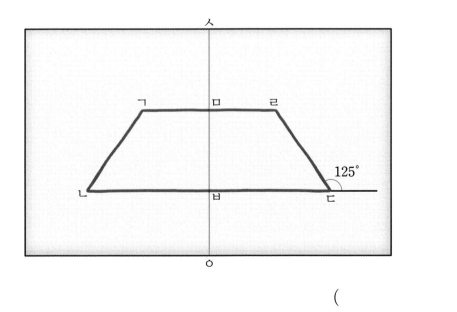

(   )

유형 6 종이접기에서 합동 찾기

창의·융합

---

1 정사각형 모양의 종이를 다음과 같이 접었습니다. ㉠은 몇 도인지 구해 보세요.

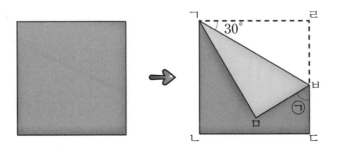

❶ ☐ 안에 알맞은 말을 써넣으세요.

삼각형 ㄱㅂㄹ은 삼각형 ☐ 과 서로 합동입니다.

❷ 각 ㄱㅂㅁ은 몇 도일까요?

( )

❸ ㉠은 몇 도인지 구해 보세요.

( )

2 직사각형 모양의 종이를 다음과 같이 접었습니다. ㉠은 몇 도인지 구해 보세요.

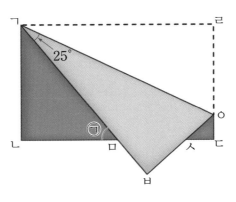

(   )

3 삼각형 모양의 종이를 다음과 같이 접었습니다. ㉠은 몇 도인지 구해 보세요.

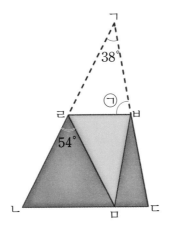

(   )

1 도형 가와 도형 나가 서로 합동이 되도록 만들려고 합니다. 도형 나의 한 꼭짓점을 옮겨 합동을 만들어 보세요.

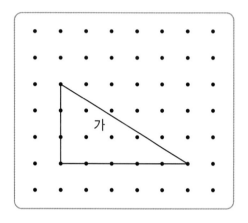 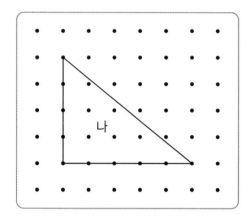

2 점대칭인 것은 어느 나라 국기인지 써 보세요.

나이지리아　　　　　　방글라데시　　　　　　핀란드

(　　　　　　　　)

3 두 삼각형은 서로 합동인 이등변삼각형입니다. 삼각형 ㄱㄴㄷ의 둘레가 21 cm일 때, 변 ㄹㅁ은 몇 cm인지 구해 보세요.

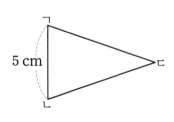 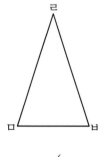

5 cm

(　　　　　　　　)

4 빨간색 선을 대칭축으로 하는 선대칭도형을 완성하고 만들어지는 단어를 써 보세요.

(1)
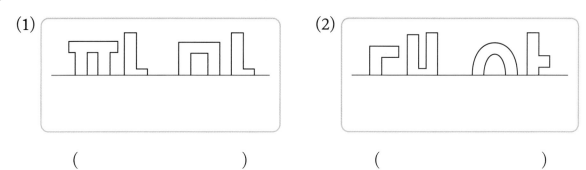

(　　　　)

(2)

(　　　　)

5 직선 ㄱㄴ을 대칭축으로 하는 선대칭도형을 각각 완성해 보고, 완성된 모양이 점대칭도형인 것에 모두 ○표 하세요.

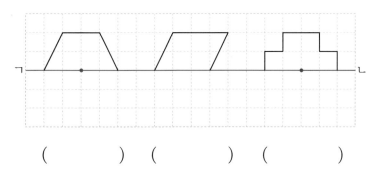

(　　)　(　　)　(　　)

6 선대칭도형도 되고 점대칭도형도 되는 숫자를 한 번씩만 사용하여 수를 만들려고 합니다. 만들수 있는 가장 큰 수를 써 보세요.

(　　　　)

7 직선 ㅁㅂ을 대칭축으로 하는 선대칭도형입니다. 각 ㄱㄷㄹ은 몇 도인지 구해 보세요.

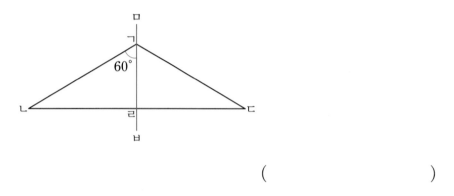

(   )

8 선분 ㅅㅇ을 접는 선으로 하여 데칼코마니로 그린 선대칭도형입니다. 각 ㄹㄷㅂ은 몇 도인지 구해 보세요.

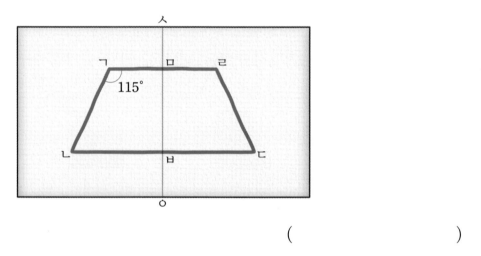

(   )

9 다음과 같이 직사각형 모양의 종이를 접었습니다. ㉠은 몇 도인지 구해 보세요.

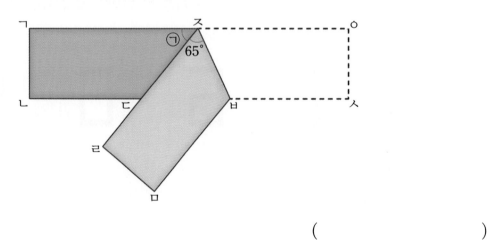

(   )

10 점 ㅅ을 대칭의 중심으로 하는 점대칭도형입니다. 각 ㅁㅂㄷ은 몇 도인지 구해 보세요.

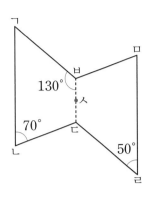

(   )

11 직선 가를 대칭축으로 하는 선대칭도형을 그린 다음, 만들어진 도형을 직선 나를 대칭축으로 하는 선대칭도형으로 완성해 보세요.

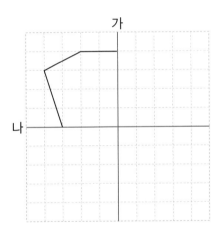

12 점 ㅇ을 대칭의 중심으로 하는 점대칭도형을 완성하고, 완성한 점대칭도형의 넓이는 몇 cm^2인지 구해 보세요.

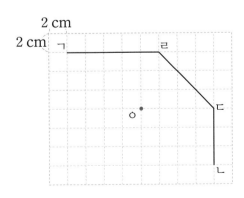

(   )

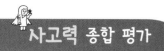

13 삼각형 ㄱㄴㄷ과 삼각형 ㄹㅁㄷ은 서로 합동입니다. 선분 ㄴㄹ은 몇 cm인지 구해 보세요.

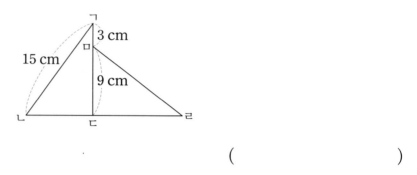

(   )

14 직사각형 ㄱㄴㄷㅅ과 직사각형 ㅁㅂㄷㄹ은 서로 합동입니다. 직사각형 ㅁㅂㄷㄹ의 넓이는 몇 cm²인지 구해 보세요.

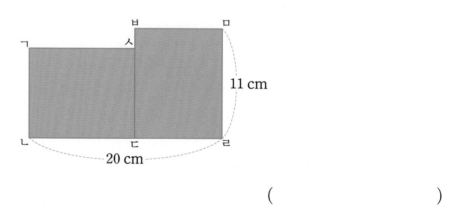

(   )

15 사각형 ㄱㄴㄷㄹ은 선분 ㄴㄹ을 대칭축으로 하는 선대칭도형입니다. 사각형 ㄱㄴㄷㄹ의 넓이는 몇 cm²인지 구해 보세요.

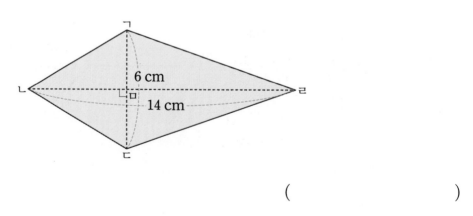

(   )

4 소수의 곱셈

❀ (소수) × (자연수)

방법1 덧셈식으로 계산하기

$0.4 \times 4 = 0.4 + 0.4 + 0.4 + 0.4 = 1.6$

$1.2 \times 3 = 1.2 + 1.2 + 1.2 = 3.6$

방법2 0.1의 개수로 계산하기

$0.4 \times 4 = 0.1 \times 4 \times 4 = 0.1 \times 16 = 1.6$

$1.2 \times 3 = 0.1 \times 12 \times 3 = 0.1 \times 36 = 3.6$

방법3 분수의 곱셈으로 계산하기

$0.4 \times 4 = \dfrac{4}{10} \times 4 = \dfrac{4 \times 4}{10} = \dfrac{16}{10} = 1.6$

$1.2 \times 3 = \dfrac{12}{10} \times 3 = \dfrac{12 \times 3}{10} = \dfrac{36}{10} = 3.6$

방법4 자연수와 소수의 합을 이용하여 계산하기

$$1.2 \times 3 = (1 + 0.2) \times 3$$
$$= 1 \times 3 + 0.2 \times 3$$
$$= 3 + 0.6 = 3.6$$

❀ (자연수) × (소수)

방법1 분수의 곱셈으로 계산하기

$3 \times 0.6 = 3 \times \dfrac{6}{10} = \dfrac{3 \times 6}{10} = \dfrac{18}{10} = 1.8$

$7 \times 5.1 = 7 \times \dfrac{51}{10} = \dfrac{7 \times 51}{10} = \dfrac{357}{10} = 35.7$

방법2 자연수의 곱셈으로 계산하기

$7 \times ⑤① = ③⑤⑦$

$\dfrac{1}{10}$배 $\dfrac{1}{10}$배

$7 \times ⑤.① = ③⑤.⑦$

❀ (소수) × (소수)

방법1 분수의 곱셈으로 계산하기

$0.8 \times 0.2 = \dfrac{8}{10} \times \dfrac{2}{10} = \dfrac{16}{100} = 0.16$

$1.9 \times 1.5 = \dfrac{19}{10} \times \dfrac{15}{10} = \dfrac{285}{100} = 2.85$

방법2 자연수의 곱셈으로 계산하기

$⑲ \times ⑮ = ㉘㉙㉕$ (285)

$\dfrac{1}{10}$배 $\dfrac{1}{10}$배 $\dfrac{1}{100}$배

$①.⑨ \times ①.⑤ = ②.㊗⑤$ (2.85)

방법3 소수의 크기를 생각하여 계산하기

$19 \times 15 = 285$인데 1.9에 1.5를 곱하면 1.9보다 큰 값이 나와야 하므로 계산 결과는 2.85입니다.

❀ 곱의 소수점 위치

• 곱하는 수의 0이 하나씩 늘어날 때마다 곱의 소수점을 오른쪽으로 한 자리씩 옮깁니다.

• 곱하는 소수의 소수점 아래 자리 수가 하나씩 늘어날 때마다 곱의 소수점을 왼쪽으로 한 자리씩 옮깁니다.

• 자연수끼리 계산한 결과에 곱하는 두 수의 소수점 아래 자리 수를 더한 값만큼 소수점을 왼쪽으로 옮깁니다.

$$0.9 \times 0.3 = 0.27$$

소수 한 자리 수   소수 한 자리 수   소수 두 자리 수

$$0.9 \times 0.03 = 0.027$$

소수 한 자리 수   소수 두 자리 수   소수 세 자리 수

1 윤하의 말을 읽고 바르게 계산한 값을 구해 보세요.

어떤 수에 1.7을 곱해야 할 것을 잘못하여 더했더니 4.2가 되었어요.

윤하

❶ 어떤 수를 ☐라 하여 잘못 계산한 식을 써 보세요.

> 잘못 계산한 식 _____

❷ ❶의 식을 이용하여 ☐를 구해 보세요.

(   )

❸ 바르게 계산한 값을 구해 보세요.

(   )

2 준우의 말을 읽고 바르게 계산한 값을 구해 보세요.

어떤 수에 5.8을 곱해야 할 것을 잘못하여 뺐더니 2.4가 되었어요.

준우

(   )

3 어떤 수에 0.5를 곱해야 할 것을 잘못하여 뺐더니 8.5가 되었습니다. 바르게 계산한 값을 구해 보세요.

(   )

4 어떤 수에 3을 곱한 다음 0.48을 더해야 할 것을 잘못하여 3을 뺀 다음 0.48을 더했더니 10.77이 되었습니다. 바르게 계산한 값을 구해 보세요.

(   )

1 정오각형과 정육각형입니다. 두 도형의 둘레의 합은 몇 cm인지 구해 보세요.

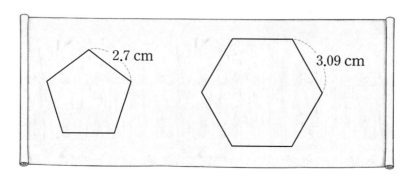

2.7 cm

3.09 cm

❶ 정오각형의 둘레는 몇 cm인지 구해 보세요.

(   )

❷ 정육각형의 둘레는 몇 cm인지 구해 보세요.

(   )

❸ 두 도형의 둘레의 합은 몇 cm인지 구해 보세요.

(   )

2 정삼각형과 정오각형입니다. 두 도형의 둘레의 합은 몇 cm인지 구해 보세요.

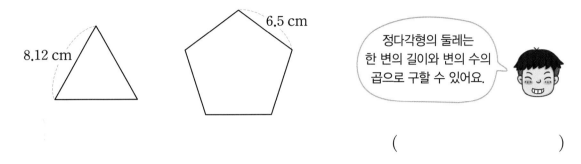

정다각형의 둘레는
한 변의 길이와 변의 수의
곱으로 구할 수 있어요.

(   )

3 정육각형과 정사각형입니다. 두 도형의 둘레의 차는 몇 m인지 구해 보세요.

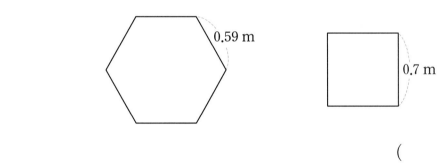

(   )

4 정오각형과 정육각형입니다. 두 도형의 둘레의 합과 차는 각각 몇 cm인지 구해 보세요.

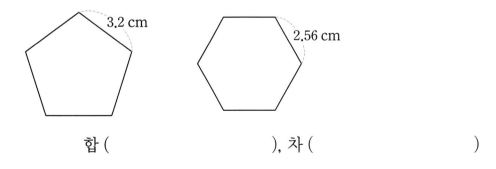

합 (   ), 차 (   )

사다리 타기

1 사다리 타기와 같은 방법으로 선을 따라 갔을 때 마지막으로 만나는 빈 곳에 알맞은 수를 써넣으세요.

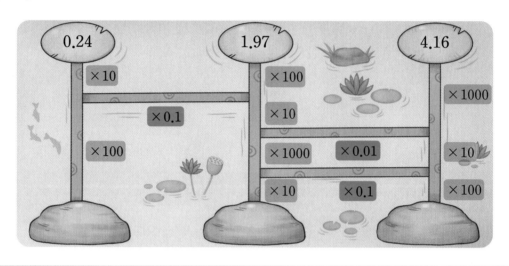

❶ 0.24부터 선을 따라 갔을 때의 계산 순서입니다. ☐ 안에 알맞은 수를 써넣으세요.

0.24 $\xrightarrow{\times 10}$ ☐ $\xrightarrow{\times 0.1}$ ☐ $\xrightarrow{\times 10}$ ☐

$\xrightarrow{\times 0.01}$ ☐ $\xrightarrow{\times 10}$ ☐ $\xrightarrow{\times 0.1}$ ☐ $\xrightarrow{\times 10}$ ☐

❷ 1.97부터 선을 따라 갔을 때의 계산 순서입니다. ☐ 안에 알맞은 수를 써넣으세요.

1.97 $\xrightarrow{\times 100}$ ☐ $\xrightarrow{\times 0.1}$ ☐ $\xrightarrow{\times 100}$ ☐

❸ 4.16부터 선을 따라 갔을 때의 계산 순서입니다. ☐ 안에 알맞은 수를 써넣으세요.

4.16 $\xrightarrow{\times 1000}$ ☐ $\xrightarrow{\times 0.01}$ ☐ $\xrightarrow{\times 1000}$ ☐

$\xrightarrow{\times 0.1}$ ☐ $\xrightarrow{\times 100}$ ☐

❹ 선을 따라 갔을 때 마지막으로 만나는 빈 곳에 알맞은 수를 각각 써넣으세요.

2 사다리 타기와 같은 방법으로 선을 따라 갔을 때 마지막으로 만나는 빈 곳에 알맞은 수를 써넣으세요.

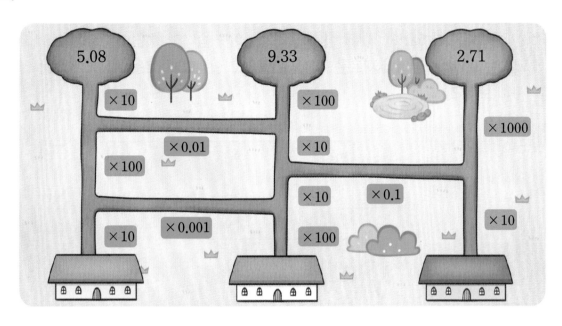

3 사다리 타기와 같은 방법으로 선을 따라 갔을 때 마지막으로 만나는 빈 곳에 알맞은 수를 써넣으세요.

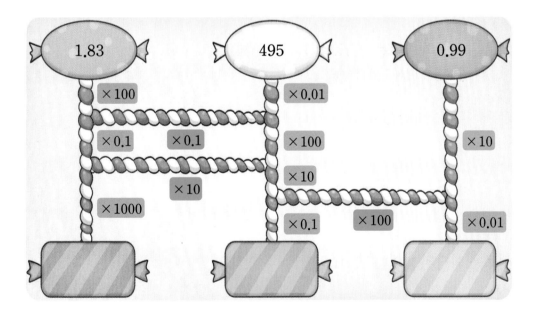

4
단원

1 한 변의 길이가 5 m인 정사각형 모양의 화단이 있습니다. 화단의 가로는 1.8배로 늘리고, 세로는 0.7배로 줄여서 새로운 화단을 만들려고 합니다. 새로운 화단의 넓이는 몇 m²인지 구해 보세요.

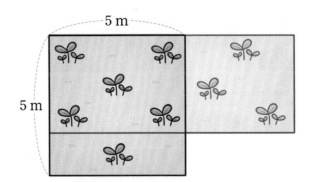

❶ 새로운 화단의 가로는 몇 m인지 구해 보세요.

( )

❷ 새로운 화단의 세로는 몇 m인지 구해 보세요.

( )

❸ 새로운 화단의 넓이는 몇 m²인지 구해 보세요.

( )

2 한 변의 길이가 6 m인 정사각형 모양의 화단이 있습니다. 화단의 가로는 2.5배로 늘리고, 세로는 0.9배로 줄여서 새로운 화단을 만들려고 합니다. 새로운 화단의 넓이는 몇 m²인지 구해 보세요.

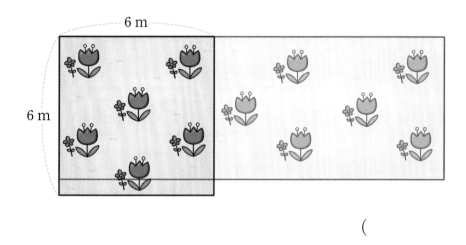

(   )

3 한 변의 길이가 8 m인 정사각형 모양의 화단이 있습니다. 화단의 가로는 3.06배로 늘리고, 세로는 0.5배로 줄여서 새로운 화단을 만들려고 합니다. 새로운 화단의 넓이는 몇 m²인지 구해 보세요.

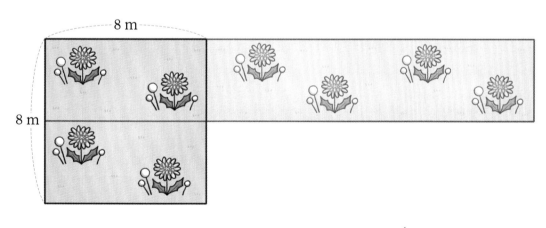

(   )

곱이 가장 큰(작은) 곱셈식

1 4장의 수 카드를 한 번씩만 사용하여 다음과 같은 곱셈식을 만들려고 합니다. 곱이 가장 큰 곱셈식을 만들고 계산해 보세요.

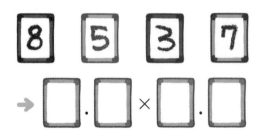

❶ 알맞은 말에 ○표 하세요.

곱하는 두 소수의 자연수 부분이 (작을수록 , 클수록) 곱이 커집니다.

❷ 곱하는 두 소수의 자연수 부분이 될 수 있는 수를 모두 써 보세요.

(   )

❸ 빈 곳에 알맞은 수를 써넣어 곱이 가장 큰 곱셈식을 완성해 보세요.

❹ ❸에서 만든 식을 계산해 보세요.

(   )

2 4장의 수 카드를 한 번씩만 사용하여 다음과 같은 곱셈식을 만들려고 합니다. 곱이 가장 큰 곱셈식을 만들고 계산해 보세요.

3 4장의 수 카드를 한 번씩만 사용하여 다음과 같은 곱셈식을 만들려고 합니다. 곱이 가장 큰 곱셈식을 만들고 계산해 보세요.

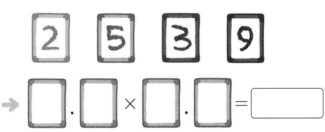

4 4장의 수 카드를 한 번씩만 사용하여 다음과 같은 곱셈식을 만들려고 합니다. 곱이 가장 작은 곱셈식을 만들고 계산해 보세요.

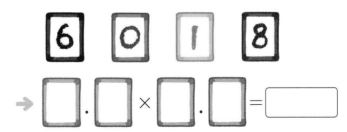

1 색칠한 부분의 넓이는 몇 cm²인지 구해 보세요.

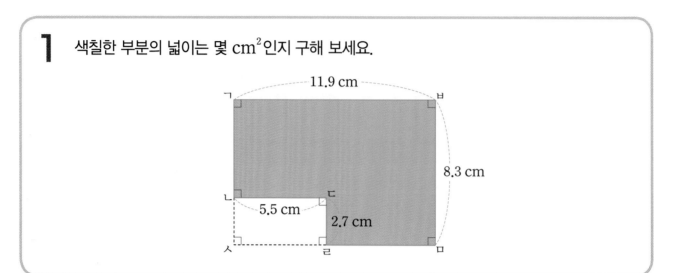

❶ 직사각형 ㄱㅅㅁㅂ의 넓이는 몇 cm²일까요?

(   )

❷ 직사각형 ㄴㅅㄹㄷ의 넓이는 몇 cm²일까요?

(   )

❸ 색칠한 부분의 넓이는 몇 cm²인지 구해 보세요.

(   )

2 색칠한 부분의 넓이는 몇 m²인지 구해 보세요.

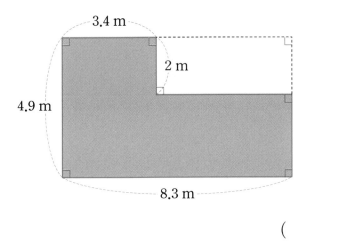

(   )

3 도형의 넓이는 몇 cm²인지 구해 보세요.

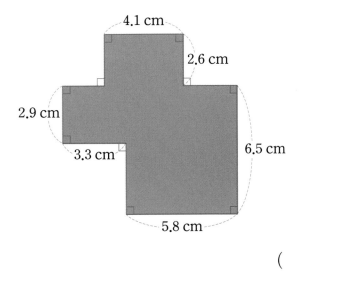

(   )

1 가장 큰 수와 가장 작은 수의 곱을 구해 보세요.

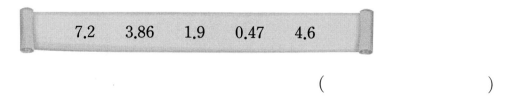

| 7.2 | 3.86 | 1.9 | 0.47 | 4.6 |

(   )

2 정삼각형과 정사각형입니다. 두 도형의 둘레의 합은 몇 cm인지 구해 보세요.

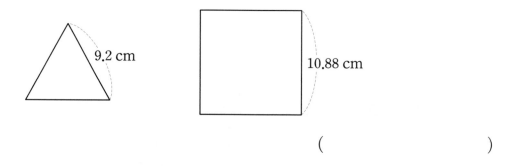

9.2 cm

10.88 cm

(   )

3 어떤 수에 2.5를 곱해야 할 것을 잘못하여 2.5를 더했더니 8.2가 되었습니다. 바르게 계산한 값은 얼마인지 구해 보세요.

(   )

4 $57 \times 12 = 684$임을 이용하여 ㉠은 ㉡의 몇 배인지 구해 보세요.

㉠ 5.7×0.12　　　㉡ 0.57×0.12

(　　　　　　　　　)

5 길이가 50 cm인 철사를 사용하여 다음과 같이 정사각형 2개를 겹치는 부분 없이 만들었습니다. 만들고 남은 철사는 몇 cm인지 구해 보세요.

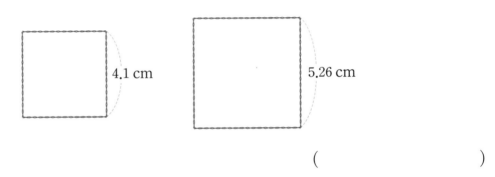

4.1 cm　　　5.26 cm

(　　　　　　　　　)

6 같은 모양은 같은 수를 나타냅니다. ▲＋■＋●의 값을 구해 보세요.

- ▲는 26의 0.5배입니다.
- ■는 ▲의 1.5배입니다.
- ●는 ▲와 ■의 곱입니다.

(　　　　　　　　　)

7 4장의 수 카드를 한 번씩만 사용하여 다음과 같은 곱셈식을 만들려고 합니다. 곱이 가장 큰 곱셈식을 만들고 계산해 보세요.

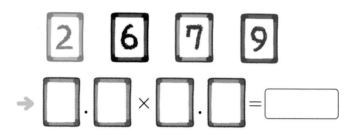

→ □.□ × □.□ = [   ]

8 사다리 타기와 같은 방법으로 선을 따라 갔을 때 마지막으로 만나는 빈곳에 알맞은 수를 써넣으세요.

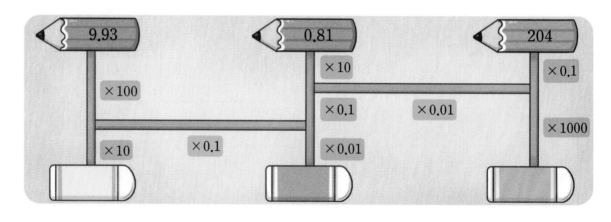

9 가로가 6.2 cm이고, 세로가 5 cm인 직사각형이 있습니다. 직사각형의 가로는 3배로 늘리고, 세로는 0.84배로 줄여서 새로운 직사각형을 만들려고 합니다. 새로운 직사각형의 넓이는 몇 cm²인지 구해 보세요.

6.2 cm

5 cm

(   )

10 한 변의 길이가 4 cm인 정사각형이 있습니다. 정사각형의 가로는 1.5배로 늘리고, 세로는 2.05배로 늘려서 새로운 직사각형을 만들었습니다. 늘어난 부분의 넓이는 몇 cm²인지 구해 보세요.

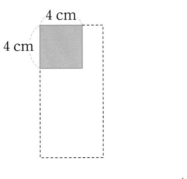

(   )

11 가♥나=(가+나)×(가−나)로 약속할 때 다음을 계산해 보세요.

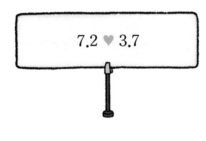

7.2 ♥ 3.7

(   )

12 길이가 5.3 cm인 색 테이프 8개를 1.6 cm씩 겹쳐서 이어 붙였습니다. 이어 붙인 색 테이프의 전체 길이는 몇 cm인지 구해 보세요.

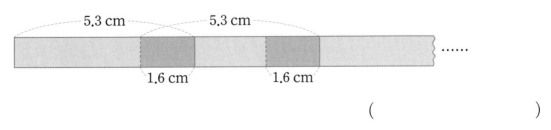

(   )

13 ☐ 안에 들어갈 수 있는 자연수를 모두 구해 보세요.

$$0.8 \times 19 < \boxed{} < 3.26 \times 6$$

(   )

14 도형의 넓이는 몇 cm^2인지 구해 보세요.

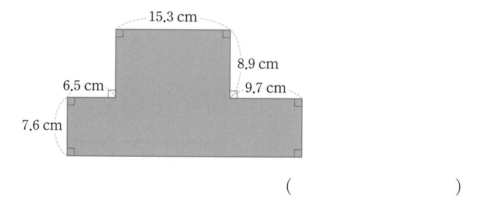

(   )

15 떨어진 높이의 0.6배만큼 튀어 오르는 공이 있습니다. 이 공을 9 m의 높이에서 떨어뜨렸을 때, 두 번째로 튀어 오른 공의 높이는 처음에 떨어뜨린 공의 높이보다 몇 m 낮은지 구해 보세요.

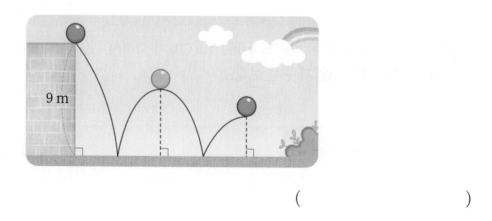

(   )

5 직육면체

✿ 직육면체, 정육면체 알아보기

• 직육면체: 직사각형 6개로 둘러싸인 도형
• 정육면체: 정사각형 6개로 둘러싸인 도형

도형	면의 모양	면의 수	모서리 의 수	꼭짓점 의 수
직육면체	직사각형	6개	12개	8개
정육면체	정사각형	6개	12개	8개

참고 정육면체는 직육면체라고 할 수 있습니다.
└▶ 정사각형은 직사각형이라고 할 수 있으므로 정사각형으로 이루어진 정육면체는 직사각형으로 이루어진 직육면체라고 할 수 있습니다.

✿ 직육면체의 성질

• 직육면체의 밑면: 직육면체에서 색칠한 두 면처럼 계속 늘여도 만나지 않는 두 면

• 직육면체의 옆면: 직육면체에서 밑면과 수직인 면

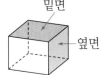

✿ 직육면체의 겨냥도 알아보기

• 직육면체의 겨냥도: 직육면체의 모양을 잘 알 수 있도록 나타낸 그림

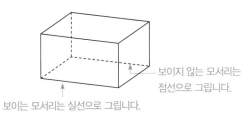

✿ 정육면체의 전개도 알아보기

• 정육면체의 전개도: 정육면체의 모서리를 잘라서 펼친 그림

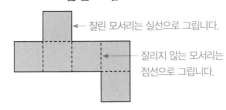

✿ 직육면체의 전개도 알아보기

• 직육면체의 전개도: 직육면체의 모서리를 잘라서 펼친 그림

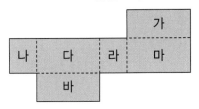

┌ 전개도를 접었을 때 면 다와 평행한 면 ➡ 면 마
└ 전개도를 접었을 때 면 다와 수직인 면
　➡ 면 가, 면 나, 면 라, 면 바
　　└▶ 면 다와 평행한 면을 제외한 나머지 면

1 다음과 같은 직육면체가 있습니다. 모든 모서리 길이의 합이 112 cm일 때, ㉠에 알맞은 수를 구해 보세요.

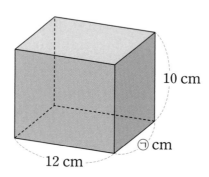

10 cm

㉠cm

12 cm

❶ 윤하가 직육면체의 모서리에 대해서 설명하고 있습니다. ☐ 안에 알맞은 수를 써넣으세요.

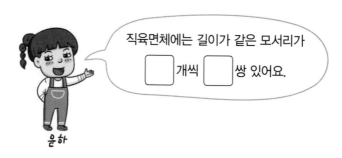

직육면체에는 길이가 같은 모서리가 ☐개씩 ☐쌍 있어요.

윤하

❷ ☐ 안에 알맞은 수를 써넣으세요.

길이가 12 cm, ㉠ cm, 10 cm인 모서리가 각각 ☐개씩 있습니다.

❸ 직육면체에서 모든 모서리 길이의 합을 구하는 식을 써 보세요.

식 _____

❹ ㉠에 알맞은 수를 구해 보세요.

(   )

2 정육면체의 전개도를 접었을 때 모든 모서리 길이의 합은 몇 cm인지 구해 보세요.

정육면체의
모서리 길이는
모두 같아요.

(   )

3 어떤 정육면체에서 모든 모서리 길이의 합은 다음 직육면체에서 모든 모서리 길이의 합과 같습니다. 정육면체에서 한 모서리의 길이는 몇 cm인지 구해 보세요.

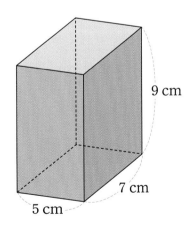

(   )

문제 해결

1 직육면체의 전개도입니다. 직육면체 전개도의 둘레는 몇 cm인지 구해 보세요.

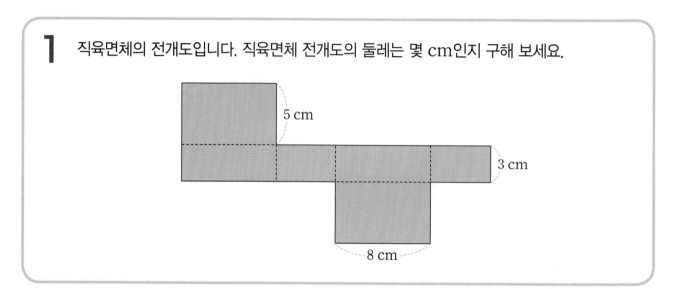

① 알맞은 말에 ○표 하세요.

> 전개도를 접었을 때 만나는 선분의 길이는 (같습니다 , 다릅니다).

② 전개도의 둘레에 길이가 5 cm인 선분을 모두 ●로 표시하고 몇 개인지 써 보세요.

(   )

③ 전개도의 둘레에 길이가 3 cm인 선분을 모두 ▲로 표시하고 몇 개인지 써 보세요.

(   )

④ 전개도의 둘레에 길이가 8 cm인 선분을 모두 ★로 표시하고 몇 개인지 써 보세요.

(   )

⑤ 직육면체 전개도의 둘레는 몇 cm인지 구해 보세요.

(   )

2 한 모서리의 길이가 9 cm인 정육면체의 전개도입니다. 정육면체 전개도의 둘레는 몇 cm인지 구해 보세요.

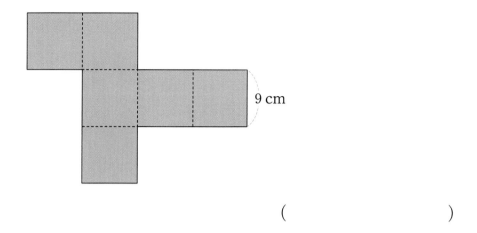

(   )

3 직육면체의 전개도입니다. 직육면체 전개도의 둘레는 몇 cm인지 구해 보세요.

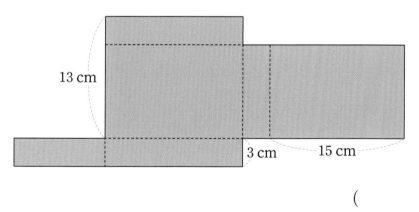

(   )

1 어떤 직육면체를 위와 앞에서 본 모양을 그린 것입니다. 이 직육면체를 옆에서 본 모양의 둘레는 몇 cm인지 구해 보세요.

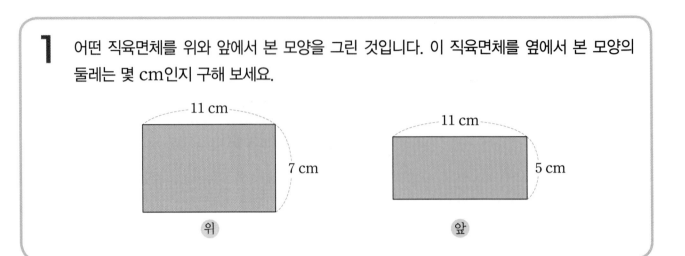

❶ ☐ 안에 알맞은 수를 써넣으세요.

길이가 11 cm, 7 cm, ☐ cm인 모서리가 ☐ 개씩 있는 직육면체입니다.

❷ 위와 앞에서 본 모양을 보고 직육면체의 겨냥도를 그리고, 길이를 나타내어 보세요.

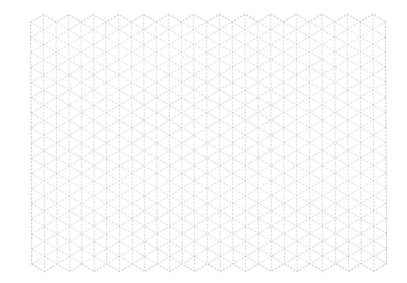

❸ 옆에서 본 모양의 둘레는 몇 cm인지 구해 보세요.

( )

2 어떤 직육면체를 세 방향에서 본 모양을 그린 것입니다. 이 직육면체의 모든 모서리 길이의 합은 몇 cm인지 구해 보세요.

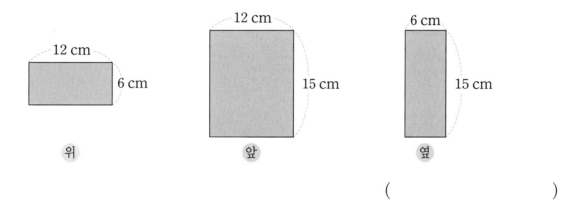

(   )

3 어떤 직육면체를 앞과 옆에서 본 모양을 그린 것입니다. 이 직육면체를 위에서 본 모양의 둘레는 몇 cm인지 구해 보세요.

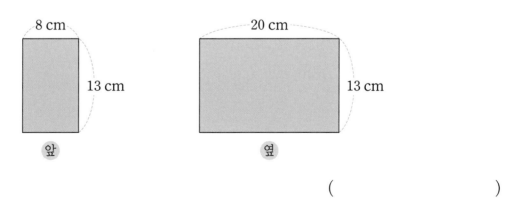

(   )

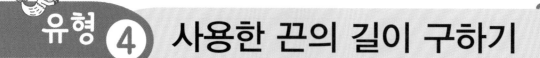
1 직육면체 모양의 선물 상자를 그림과 같이 끈으로 묶었습니다. 선물 상자를 묶는 데 사용한 끈의 길이는 모두 몇 cm인지 구해 보세요. (단, 매듭으로 사용한 끈의 길이는 20 cm입니다.)

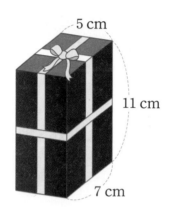

5 cm
11 cm
7 cm

사용한 끈의 길이는 끈이 지나간 모서리 길이의 합에 매듭의 길이를 더해 주어야 해요.

❶ 끈을 주어진 모서리의 길이만큼씩 몇 번 사용하였는지 구해 보세요.

매듭 이외의 부분은 1번씩만 감았어요.

5 cm ( )
11 cm ( )
7 cm ( )

❷ 주어진 모서리의 길이만큼씩 사용한 끈의 길이의 합은 몇 cm인지 구해 보세요.

( )

❸ 선물 상자를 묶는 데 사용한 끈의 길이는 모두 몇 cm인지 구해 보세요.

( )

2 정육면체 모양의 상자에 그림과 같이 색 테이프를 붙였습니다. 상자를 붙이는 데 사용한 색 테이프의 길이는 모두 몇 cm인지 구해 보세요.

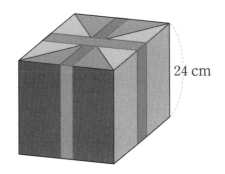

24 cm

(1) 색 테이프를 24 cm씩 몇 번 사용하였는지 구해 보세요.

(   )

(2) 상자를 붙이는 데 사용한 색 테이프의 길이는 모두 몇 cm인지 구해 보세요.

(   )

5
단원

3 정육면체 모양의 선물 상자를 그림과 같이 끈으로 묶었습니다. 매듭을 묶는 데 20 cm를 사용하였고, 사용한 끈의 길이가 모두 200 cm라면 상자의 한 모서리의 길이는 몇 cm인지 구해 보세요.

끈을 윗면, 아랫면, 옆면에 몇 번씩 사용했는지 세어 보세요.

(   )

1 왼쪽과 같이 직육면체의 면에 보라색 선을 그었습니다. 이 직육면체의 전개도가 오른쪽과 같을 때, 전개도에 선이 지나가는 자리를 그려 넣어 보세요.

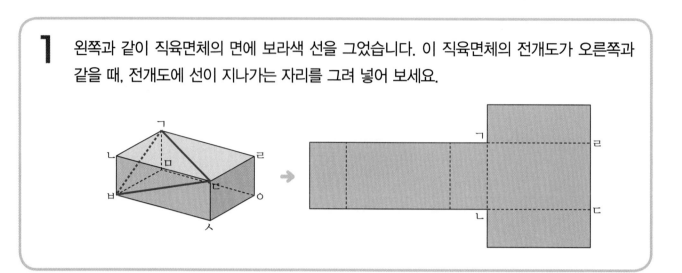

① 오른쪽 전개도에 선이 그어진 직육면체의 면을 빗금으로 나타내어 보세요.

② 직육면체 전개도의 □ 안에 꼭짓점의 기호를 알맞게 써넣으세요.

면 ㄱㄴㄷㄹ과 만나는 면부터 꼭짓점을 찾아보세요.

③ ②의 전개도에 선이 지나가는 자리를 그려 넣어 보세요.

2 왼쪽과 같이 직육면체의 면에 초록색 선을 그었습니다. 이 직육면체의 전개도가 오른쪽과 같을 때, 전개도에 선이 지나가는 자리를 그려 넣어 보세요.

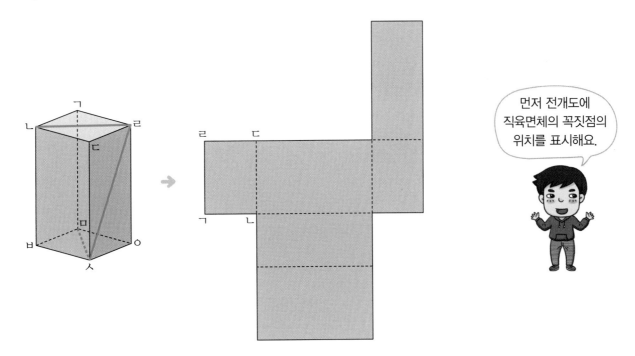

먼저 전개도에 직육면체의 꼭짓점의 위치를 표시해요.

3 왼쪽 그림은 과자 상자 위로 개미가 지나간 길을 빨간색 선으로 표시한 것입니다. 이 직육면체의 전개도가 오른쪽과 같을 때, 전개도에 개미가 지나간 자리를 그려 넣어 보세요.

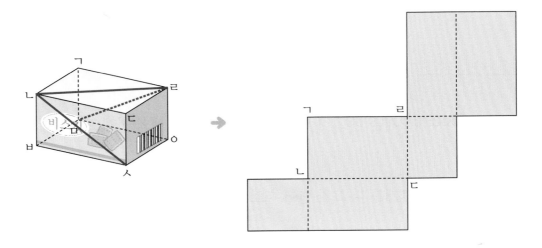

1 크기가 같은 정사각형 4개 또는 5개를 이어 붙여 만든 도형이 있습니다. 이 도형에 크기가 같은 정사각형을 이어 붙여 서로 다른 정육면체의 전개도를 완성하려고 합니다. 만들 수 있는 정육면체의 전개도는 모두 몇 가지인지 구해 보세요. (단, 뒤집거나 돌려서 같은 전개도가 되면 1가지로 생각합니다.)

가

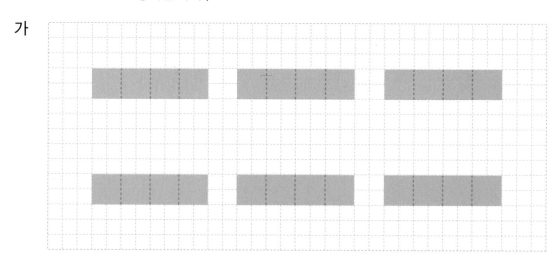

나

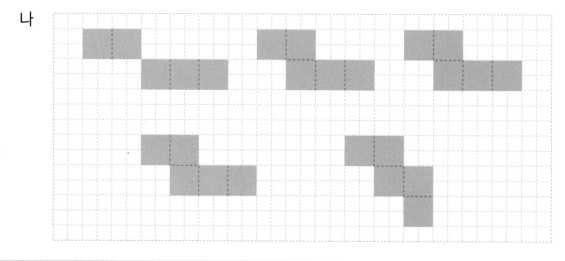

❶ 가에서 정사각형 2개를 더 그려 넣어 서로 다른 정육면체의 전개도를 완성해 보세요.

❷ 나에서 정사각형 1개를 더 그려 넣어 서로 다른 정육면체의 전개도를 완성해 보세요.

❸ 만들 수 있는 정육면체의 전개도는 모두 몇 가지인지 구해 보세요.

(　　　　　　　　)

2 준우가 정육면체의 전개도를 잘못 그렸습니다. 잘못된 이유를 설명하고 면 1개를 옮겨 올바른 정육면체의 전개도를 그려 보세요.

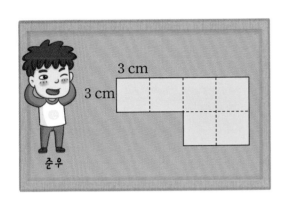

1 cm
1 cm

이유 _____

3 오른쪽 주사위를 보고 마주 보는 면에 있는 눈의 수의 합이 7이 되도록 정육면체 주사위의 전개도를 그려 보세요.

1 전개도를 접어서 직육면체를 만들었을 때 색칠한 면과 평행한 면을 찾아 색칠해 보세요.

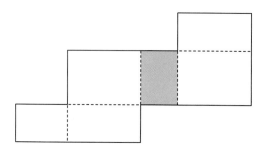

2 정육면체의 겨냥도에서 보이지 않는 면을 모두 찾아 써 보세요.

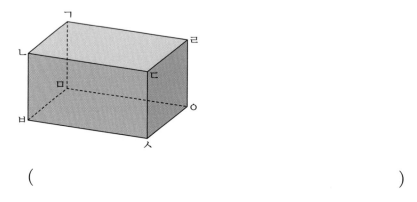

(   )

3 정육면체의 전개도입니다. 전개도를 접었을 때 마주 보는 면의 눈의 수의 합이 7이 되도록 ㉠, ㉡, ㉢에 알맞은 수를 각각 구해 보세요.

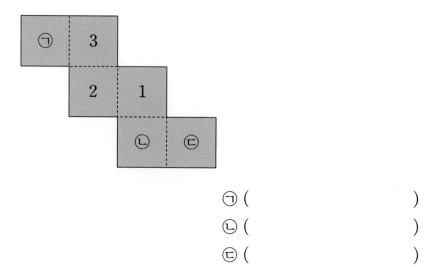

㉠ (   )

㉡ (   )

㉢ (   )

4 주사위에서 눈의 수가 4인 면과 수직인 모든 면의 눈의 수의 합을 구해 보세요.

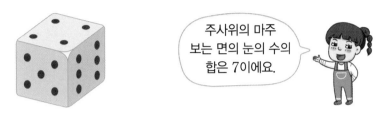

주사위의 마주 보는 면의 눈의 수의 합은 7이에요.

(   )

5 직육면체에서 보이는 모서리 길이의 합은 몇 cm인지 구해 보세요.

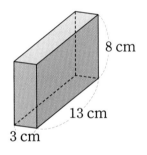

8 cm

13 cm

3 cm

(   )

6 한 모서리의 길이가 14 cm인 정육면체의 전개도입니다. 이 정육면체의 전개도의 둘레는 몇 cm인지 구해 보세요.

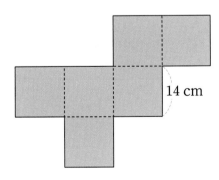

14 cm

(   )

7 직육면체에서 모든 모서리 길이의 합은 80 cm입니다. ☐ 안에 알맞은 수를 구해 보세요.

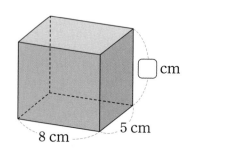

(   )

8 어떤 정육면체에서 모든 모서리 길이의 합은 다음 직육면체의 모든 모서리 길이의 합과 같습니다. 정육면체에서 한 모서리의 길이는 몇 cm인지 구해 보세요.

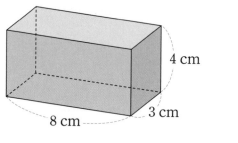

(   )

9 직육면체의 전개도입니다. 직육면체 전개도의 둘레는 몇 cm인지 구해 보세요.

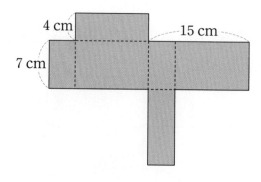

(   )

10 어떤 직육면체를 세 방향에서 본 모양을 그린 것입니다. 이 직육면체의 모든 모서리 길이의 합은 몇 cm인지 구해 보세요.

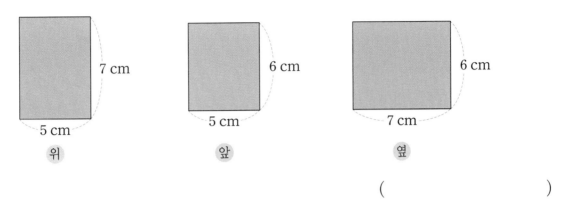

7 cm
5 cm
위

6 cm
5 cm
앞

6 cm
7 cm
옆

(   )

11 왼쪽과 같이 과자 상자에 스티커를 붙였습니다. 이 상자의 전개도가 오른쪽과 같을 때, 스티커를 붙여야 하는 부분을 그려 넣어 보세요.

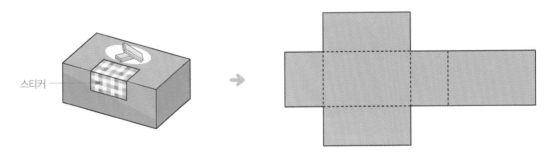

스티커

12 왼쪽과 같이 정육면체의 면에 선을 그었습니다. 이 정육면체의 전개도가 오른쪽과 같을 때, 전개도에 선이 지나가는 자리를 그려 넣어 보세요.

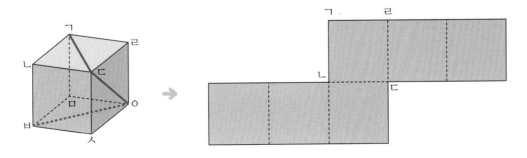

13 어떤 직육면체를 위와 앞에서 본 모양을 그린 것입니다. 이 직육면체를 옆에서 본 모양의 둘레는 몇 cm인지 구해 보세요.

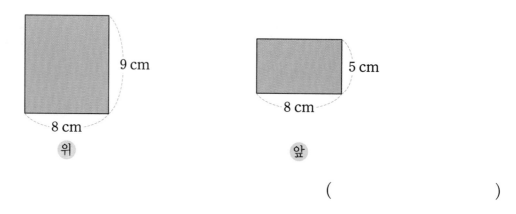

위

앞

(   )

14 직육면체 모양의 상자를 끈으로 묶었습니다. 상자를 묶는 데 사용한 끈의 길이는 몇 cm인지 구해 보세요. (단, 매듭으로 사용한 끈의 길이는 15 cm입니다.)

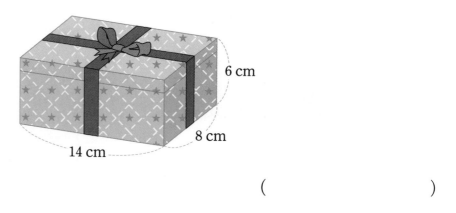

(   )

15 오른쪽과 같이 정육면체 모양의 상자를 끈으로 묶었습니다. 매듭을 묶는 데 25 cm를 사용하였고, 사용한 끈의 길이가 모두 97 cm라면 상자의 한 모서리의 길이는 몇 cm인지 구해 보세요.

(   )

6 평균과 가능성

✿ 평균 구하기

요일별 최고 기온

요일	월	화	수	목	금
기온(℃)	23	22	20	24	26

방법1 각 자료의 값을 고르게 하여 구하기
평균을 23 ℃로 예상한 후 23, (22, 24), (20, 26)으로 수를 옮기고 짝 지어 자료의 값을 고르게 하여 구한 기온의 평균은 23 ℃입니다.

방법2 자료의 값을 모두 더해 자료의 수로 나누기
(평균)=(23+22+20+24+26)÷5
=115÷5=23 (℃)

✿ 평균을 이용하여 문제 해결하기

모둠 친구 수와 읽은 책 수

모둠	모둠 1	모둠 2
모둠 친구 수(명)	6	5
읽은 책 수(권)	48	45

• (모둠 1의 읽은 책 수의 평균)
=48÷6=8(권)
• (모둠 2의 읽은 책 수의 평균)
=45÷5=9(권)
➡ 8권<9권이므로 모둠 2의 1인당 읽은 책 수가 더 많다고 할 수 있습니다.

✿ 일이 일어날 가능성을 말로 표현하기

• 가능성: 어떠한 상황에서 특정한 일이 일어나길 기대할 수 있는 정도
• 가능성의 정도는 불가능하다, ~아닐 것 같다, 반반이다, ~일 것 같다, 확실하다 등으로 표현할 수 있습니다.

예 • 해가 동쪽에서 뜰 것입니다.
➡ 확실하다
• 내일 하루는 12시간일 것입니다.
➡ 불가능하다
• 동전을 던지면 숫자 면이 나올 것입니다.
➡ 반반이다

✿ 일이 일어날 가능성을 수로 표현하기

• 일이 일어날 가능성을 0, $\frac{1}{2}$, 1과 같이 수로 표현할 수 있습니다.

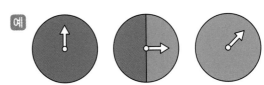

예

• 화살이 보라색에 멈출 가능성을 수로 표현하면 각각 1, $\frac{1}{2}$, 0입니다.
• 화살이 주황색에 멈출 가능성을 수로 표현하면 각각 0, $\frac{1}{2}$, 1입니다.

1 준석이의 과목별 단원평가 점수를 나타낸 표입니다. 과목별 단원평가 점수의 평균이 86점일 때, 단원평가 점수가 평균보다 더 높은 과목을 모두 써 보세요.

과목별 단원평가 점수

과목	국어	수학	사회	과학
점수(점)	82	90		88

① 과목별 단원평가 점수의 합은 몇 점일까요?

(　　　　　　　　　)

② 사회 단원평가 점수는 몇 점일까요?

(　　　　　　　　　)

③ 단원평가 점수가 평균보다 더 높은 과목을 모두 써 보세요.

(　　　　　　　　　)

2 어느 지역의 마을별 고구마 생산량을 나타낸 표입니다. 마을별 고구마 생산량의 평균이 430 kg 일 때, 라 마을의 고구마 생산량은 몇 kg인지 구해 보세요.

마을별 고구마 생산량

마을	가	나	다	라	마
생산량(kg)	379	502	464		425

( )

3 어느 동물원의 요일별 입장객 수를 나타낸 표입니다. 하루 동안 입장객 수의 평균이 114명일 때, 토요일의 입장객 수는 몇 명인지 구해 보세요.

요일별 입장객 수

요일	월	화	수	목	금	토	일
입장객 수(명)	75	106	82	53	79		229

( )

4 현수와 영서의 줄넘기 기록을 나타낸 표입니다. 두 사람의 줄넘기 기록의 평균이 같을 때, 영서 는 3회에 줄넘기를 몇 번 했는지 구해 보세요

현수의 줄넘기 기록

회	1회	2회	3회	4회
기록(번)	52	73	48	59

영서의 줄넘기 기록

회	1회	2회	3회	4회	5회
기록(번)	58	49		70	63

( )

1 진주네 모둠과 가영이네 모둠의 학생 수와 수학 점수의 합을 나타낸 표입니다. 어느 모둠의 수학 점수의 평균이 몇 점 더 높은지 구해 보세요.

모둠별 학생 수와 수학 점수

	학생 수(명)	수학 점수의 합(점)
진주네 모둠	7	595
가영이네 모둠	5	440

❶ 진주네 모둠의 수학 점수의 평균은 몇 점일까요?

(   )

❷ 가영이네 모둠의 수학 점수의 평균은 몇 점일까요?

(   )

❸ 어느 모둠의 수학 점수의 평균이 몇 점 더 높을까요?

(   ), (   )

2 행복 초등학교와 사랑 초등학교의 학생 수와 운동장의 넓이를 나타낸 표입니다. 어느 초등학교 학생들이 한 명당 운동장을 몇 m^2 더 넓게 사용할 수 있는지 구해 보세요.

학교별 학생 수와 운동장의 넓이

	학생 수(명)	운동장의 넓이(m^2)
행복 초등학교	372	5208
사랑 초등학교	435	5220

(   ), (   )

3 민지네 아파트와 승기네 아파트의 동 수와 사람 수를 나타낸 표입니다. 누구네 아파트 동별 사람 수의 평균이 몇 명 더 많은지 구해 보세요.

아파트별 동 수와 사람 수

	동 수(개)	사람 수(명)
민지네 아파트	17	4114
승기네 아파트	14	3864

(   ), (   )

4 서준이와 정은이의 요일별 독서 시간을 나타낸 표입니다. 누구의 독서 시간의 평균이 몇 분 더 긴지 차례로 구해 보세요.

요일별 독서 시간 (단위: 분)

이름＼요일	월	화	수	목	금	토	일
서준	16	29	33	22	41	13	42
정은	25	35	31	26	38	35	34

(   ), (   )

유형 ③ 더 늘어난 평균 구하기

문제 해결

1 종국이네 모둠 학생들이 한 달 동안 읽은 책 수를 나타낸 표입니다. 실제로 종국이가 책을 12권 더 읽었다면 종국이네 모둠이 읽은 책 수의 평균은 몇 권 더 늘어났는지 구해 보세요.

종국이네 모둠이 읽은 책 수

이름	종국	혜미	나래	민수	동현	서진
읽은 책 수(권)	14	20	18	22	15	19

❶ 종국이네 모둠이 읽은 책 수의 평균은 몇 권일까요?

(   )

❷ 실제로 종국이가 책을 12권 더 읽었을 때 종국이네 모둠이 읽은 책 수의 평균은 몇 권일까요?

(   )

❸ 종국이네 모둠이 읽은 책 수의 평균은 몇 권 더 늘어났을까요?

(   )

2 보민이네 모둠이 먹은 젤리 수를 나타낸 표입니다. 실제로 보민이가 5개 더 먹었을 때 보민이네 모둠이 먹은 젤리 수의 평균은 몇 개 더 늘어났는지 구해 보세요.

보민이는 5개를 더 먹었어요.

보민이네 모둠이 먹은 젤리 수

이름	보민	지윤	수근	가영	예서
젤리 수(개)	12	17	15	14	22

(   )

3 어느 제과점의 요일별 식빵 판매량을 나타낸 표입니다. 실제로 수요일에 식빵이 25개 더 팔렸을 때 식빵 판매량의 평균은 몇 개 더 늘어났는지 구해 보세요.

수요일에 25개가 더 팔린 걸 깜빡했어요.

요일별 식빵 판매량

요일	월	화	수	목	금
판매량(개)	42	37	30	41	35

(   )

6 단원

4 세진이의 성적을 나타낸 표입니다. 실제로 세진이의 영어 점수가 20점 더 높아졌을 때 세진이의 성적의 평균은 몇 점 더 높아졌는지 구해 보세요.

영어 점수가 20점 더 높아졌어요.

세진이의 성적

과목	국어	수학	사회	과학	영어
점수(점)	90	80	85	75	70

(   )

일이 일어날 가능성의 활용

1 상자 속에 빨간색 구슬 5개, 파란색 구슬 2개, 노란색 구슬 몇 개가 있습니다. 그중에서 1개를 꺼낼 때 꺼낸 구슬이 빨간색일 가능성을 수로 표현하면 $\frac{1}{2}$입니다. 노란색 구슬은 몇 개인지 구해 보세요.

노란색 구슬 수를 알아맞히면 마술 모자를 선물로 주지!

꼭 알아맞힐 거예요. 먼저 빨간색 구슬은……

❶ 빨간색 구슬은 전체 구슬 수의 얼마인지 분수로 나타내어 보세요.

(   )

❷ 전체 구슬은 몇 개인지 구해 보세요.

(   )

❸ 노란색 구슬은 몇 개인지 구해 보세요.

(   )

2 상자 속에 파란색 구슬 3개, 분홍색 구슬 4개, 검은색 구슬 몇 개가 있습니다. 그중에서 1개를 꺼낼 때 꺼낸 구슬이 분홍색일 가능성을 수로 표현하면 $\frac{1}{2}$입니다. 검은색 구슬은 몇 개인지 구해 보세요.

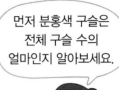

먼저 분홍색 구슬은 전체 구슬 수의 얼마인지 알아보세요.

(   )

3 주머니 속에 주황색 공 4개, 초록색 공 3개, 보라색 공 몇 개가 있습니다. 그중에서 1개를 꺼낼 때 꺼낸 공이 보라색일 가능성을 수로 표현하면 $\frac{1}{2}$입니다. 보라색 공은 몇 개인지 구해 보세요.

(   )

4 상자 속에 수 카드가 6장 있습니다. 그중에서 1장을 꺼낼 때 꺼낸 카드의 수가 12의 약수일 가능성을 수로 표현하면 1입니다. 상자 속에 들어 있는 수 카드의 수를 모두 써 보세요.

(   )

유형 **5** **전체 평균 구하기** 문제 해결

1 지윤이네 모둠 남학생과 여학생 각각의 학생 수와 몸무게의 평균입니다. 지윤이네 모둠 전체 학생들의 몸무게의 평균은 몇 점인지 구해 보세요.

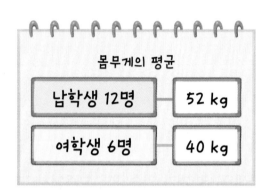

몸무게의 평균

| 남학생 12명 | 52 kg |
| 여학생 6명 | 40 kg |

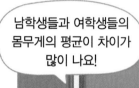

남학생들과 여학생들의 몸무게의 평균이 차이가 많이 나요!

우리 반 전체 학생들의 몸무게의 평균을 구하면 평균이 달라질 거란다.

❶ 남학생 12명의 몸무게의 합은 몇 kg일까요?

( )

❷ 여학생 6명의 몸무게의 합은 몇 kg일까요?

( )

❸ 지윤이네 모둠 전체 학생 수는 몇 명일까요?

( )

❹ 지윤이네 모둠 전체 학생들의 몸무게의 평균은 몇 kg일까요?

( )

2 준호네 반 남학생과 여학생 각각의 학생 수와 수학 점수의 평균입니다. 준호네 반 전체 학생들의 수학 점수의 평균은 몇 점인지 구해 보세요.

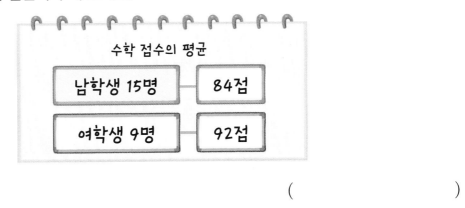

(   )

3 지수네 모둠 남학생과 여학생 각각의 학생 수와 하루 동안 스마트폰 이용 시간의 평균입니다. 지수네 모둠 전체 학생들의 하루 동안 스마트폰 이용 시간의 평균은 몇 분인지 구해 보세요.

(   )

4 어느 회사의 남자 직원과 여자 직원 각각의 사람 수와 나이의 평균입니다. 이 회사의 전체 직원들의 나이의 평균은 몇 살인지 구해 보세요.

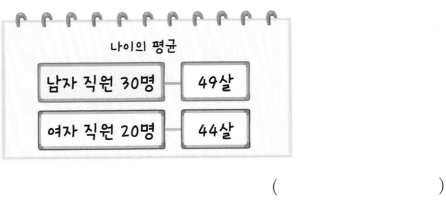

(   )

가능성을 수로 표현하기

1 상자 안에 4장의 수 카드가 들어 있습니다. 이 중에서 2장을 꺼내어 두 자리 수를 만들 때 5의 배수일 가능성을 수로 표현해 보세요.

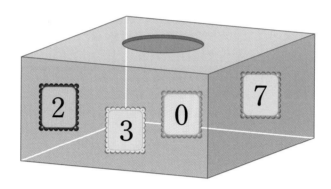

❶ 4장의 수 카드 중 2장을 꺼내어 만들 수 있는 두 자리 수는 모두 몇 가지일까요?

(   )

❷ ❶에서 만들 수 있는 수 중에서 5의 배수는 몇 가지일까요?

(   )

❸ 만들 수 있는 두 자리 수 중에서 5의 배수일 가능성을 수로 표현해 보세요.

$$\frac{(5의\ 배수일\ 가짓수)}{(만들\ 수\ 있는\ 두\ 자리\ 수의\ 가짓수)} = \frac{\boxed{}}{\boxed{}} = \frac{\boxed{}}{\boxed{}}$$

└─ 기약분수

2 3장의 수 카드 중에서 2장을 골라 두 자리 수를 만들 때 홀수일 가능성을 수로 표현해 보세요.

(   )

3 4장의 수 카드 중에서 2장을 골라 두 자리 수를 만들 때 짝수일 가능성을 수로 표현해 보세요.

(   )

4 오른쪽과 같이 동전 한 개와 주사위 한 개를 동시에 던졌을 때 동전은 그림 면, 주사위 눈의 수는 6의 약수가 나올 가능성을 수로 표현해 보세요.

(1) 동전을 던졌을 때 나올 수 있는 경우는 몇 가지일까요?

(   )

(2) 주사위를 던졌을 때 나올 수 있는 경우는 몇 가지일까요?

(   )

(3) 동전 한 개와 주사위 한 개를 동시에 던졌을 때 나올 수 있는 경우는 모두 몇 가지인지 ☐ 안에 알맞은 수를 써넣으세요.

$$2 \times \boxed{} = \boxed{} (가지)$$

(4) 동전은 그림 면, 주사위 눈의 수는 6의 약수가 나올 가능성을 수로 표현해 보세요.

(   )

1 주머니 속에 주황색 구슬 2개, 파란색 구슬 2개가 들어 있습니다. 주머니에서 구슬 1개를 꺼낼 때 꺼낸 구슬이 초록색일 가능성을 수로 표현해 보세요.

(   )

2 다음 수들의 평균을 구해 보세요.

1부터 15까지의 자연수

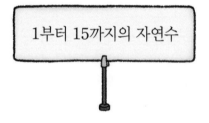

1부터 15까지의 수를 차례로 쓴 다음, 합이 같도록 두 수씩 짝 지어 구해 보세요.

(   )

3 가희네 모둠 학생 4명의 키의 평균은 148 cm입니다. 가희네 모둠 학생 4명의 키의 합은 몇 cm인지 구해 보세요.

(   )

4 3장의 수 카드를 한 번씩만 사용하여 세 자리 수를 만들 때 만든 수가 짝수일 가능성을 수로 표현해 보세요.

(   )

5 회전판을 돌렸을 때 화살이 8의 약수에 멈출 가능성을 수로 표현해 보세요.

(   )

6 영호가 5일 동안 책을 읽은 시간을 나타낸 표입니다. 책을 읽은 시간의 평균이 55분일 때, 수요일에 책을 읽은 시간을 구해 보세요.

5일 동안 책을 읽은 시간

요일	월	화	수	목	금
시간(분)	50	42		75	54

(   )

7 동건이와 지훈이가 운동한 날수와 운동한 시간의 합을 나타낸 표입니다. 누가 하루에 평균 몇 분 더 많이 운동했다고 할 수 있는지 차례로 구해 보세요.

운동한 시간

	운동한 날수(일)	운동한 시간의 합(분)
동건	11	264
지훈	9	279

(   ), (   )

8 500원짜리 동전 2개를 동시에 던졌습니다. 서로 같은 면이 나올 가능성을 수로 표현해 보세요.

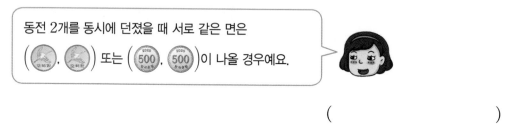

동전 2개를 동시에 던졌을 때 서로 같은 면은 (,) 또는 (,)이 나올 경우예요.

(   )

9 오른쪽은 신라시대의 유물인 주령구와 같은 모양으로 면이 14개인 주사위입니다. 1부터 14까지의 수가 적힌 이 주사위를 던졌을 때 14의 약수가 나올 가능성을 수로 표현해 보세요.

주령구란 정사각형 면 6개와 육각형 면 8개로 이루어진 14면체 주사위예요.

주령구

(   )

10 주머니 속에 보라색 구슬 3개, 초록색 구슬 1개, 파란색 구슬 몇 개가 있습니다. 그중에서 1개를 꺼낼 때 꺼낸 구슬이 보라색일 가능성을 수로 표현하면 $\frac{1}{2}$입니다. 파란색 구슬은 몇 개인지 구해 보세요.

(   )

11 지난달 영규네 학교 5학년 반별 학급문고 수를 나타낸 표입니다. 이번 달에 3반의 학급문고 수가 16권 더 많아졌을 때 반별 학급문고 수의 평균은 지난달보다 몇 권 더 늘어났는지 구해 보세요.

반별 학급문고 수

반	1반	2반	3반	4반
학급문고 수(권)	48	56	52	60

(   )

6
단원

12 승기네 모둠 남학생과 여학생 각각의 학생 수와 키의 평균입니다. 승기네 모둠 전체 학생들의 키의 평균은 몇 cm일까요?

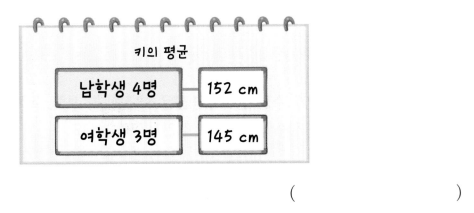

키의 평균

남학생 4명 — 152 cm

여학생 3명 — 145 cm

(   )

13 오른쪽과 같이 100원짜리 동전 한 개와 주사위 한 개를 동시에 던졌을 때 동전은 숫자 면, 주사위 눈의 수는 2의 배수가 나올 가능성을 수로 표현해 보세요.

(   )

14 종현, 민수, 준호가 100 m 달리기를 한 횟수와 기록의 합을 나타낸 표입니다. 기록이 가장 빠른 사람과 가장 느린 사람의 기록 평균의 차는 몇 초인지 구해 보세요.

100 m 달리기 기록

	횟수(번)	기록의 합(초)
종현	7	126
민수	11	154
준호	8	128

(   )

15 성준이의 국어, 영어, 수학 점수의 평균은 83점이고, 사회, 과학 점수의 평균은 93점입니다. 성준이의 다섯 과목 점수의 평균은 몇 점인지 구해 보세요.

(   )

Go!
마써

교과서 GO! 사고력 GO!

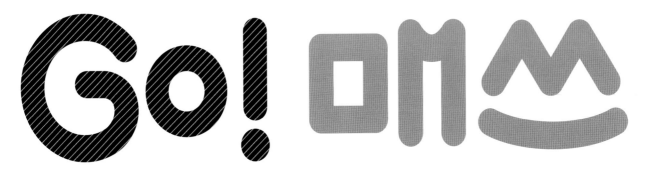

GO! 매쓰

Jump
유형 사고력

정답과 풀이　　수학 5-2

열심히
풀었으니까,
한 번 맞춰 볼까?

Go! 매쓰 Jump

정답과 풀이

수학 5-2

GO! 매쓰 Jump 정답

유형 ① 공 분류하여 담기 〈창의·융합〉

정답과 풀이 2쪽

1 공과 바구니가 있습니다. 각 바구니의 범위에 포함되는 수가 쓰인 공을 모두 담으려고 합니다. 두 바구니에 담고 남은 공은 몇 개인지 구해 보세요.

❶ 노란색 바구니에 담을 수 있는 공은 몇 개인지 구해 보세요.
(**5개**)

✧ 20 이상인 수는 22, 29, 20, 23, 25로 5개입니다.

❷ 파란색 바구니에 담을 수 있는 공은 몇 개인지 구해 보세요.
(**1개**)

✧ 10 미만인 수는 9로 1개입니다.

❸ 두 바구니에 담고 남은 공은 몇 개인지 구해 보세요.
(**6개**)

✧ 공 12개 중에서 6개를 바구니에 담았으므로 6개가 남았습니다.

2 공과 바구니가 있습니다. 각 바구니의 범위에 포함되는 수가 쓰인 공을 모두 담으려고 합니다. 두 바구니에 담고 남은 공은 몇 개인지 구해 보세요.

(**6개**)

✧ 30 초과인 수는 34, 33이므로 노란색 바구니에 담을 수 있는 공은 2개입니다.
15 이하인 수는 11, 7, 8, 15이므로 파란색 바구니에 담을 수 있는 공은 4개입니다.
➔ 두 바구니에 담고 남은 공은 12−2−4=6(개)입니다.

3 공과 바구니가 있습니다. 각 바구니의 범위에 포함되는 수가 쓰인 공을 모두 담으려고 합니다. 두 바구니에 담고 남은 공은 몇 개인지 구해 보세요.

(**5개**)

✧ 10 초과 20 이하인 수는 16, 14, 20, 13이므로 노란색 바구니에 담을 수 있는 공은 4개입니다.
25 이상인 수는 25, 29, 30이므로 파란색 바구니에 담을 수 있는 공은 3개입니다.
➔ 두 바구니에 담고 남은 공은 12−4−3=5(개)입니다.

유형 ② 도형의 둘레의 범위 〈문제 해결〉

정답과 풀이 2쪽

1 다음 직사각형 중에서 둘레가 18 cm 미만인 것을 찾아 기호를 써 보세요.

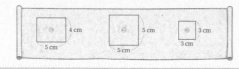

❶ 직사각형 ㉠, ㉡, ㉢의 둘레를 각각 구해 보세요.
㉠ (**18 cm**)
㉡ (**20 cm**)
㉢ (**12 cm**)

✧ ㉠ $(5+4)×2=18$ (cm) ㉡ $5×4=20$ (cm)
㉢ $3×4=12$ (cm)

❷ 밑줄 친 부분에 수의 범위를 설명하는 말을 써 보세요.

| 18 미만인 수는 | **18보다 작은** | 수입니다. |

❸ 둘레가 18 cm 미만인 직사각형의 기호를 써 보세요.
(㉢)

✧ 12<18이므로 둘레가 18 cm 미만인 도형은 둘레가 12 cm인 ㉢입니다.

2 다음 직사각형 중에서 둘레가 24 cm 초과인 것을 찾아 기호를 써 보세요.

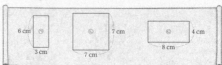

✧ 도형의 둘레는 ㉠ $(6+3)×2=18$ (cm), (㉡)
㉡ $7×4=28$ (cm), ㉢ $(8+4)×2=24$ (cm)입니다.
24 초과인 수는 24보다 큰 수이므로 둘레가 24 cm 초과인 도형은 ㉡입니다.

3 다음 직사각형 중에서 둘레가 20 cm 이상인 것을 모두 찾아 기호를 써 보세요.

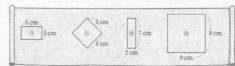

✧ 도형의 둘레는 ㉠ $(5+3)×2=16$ (cm), (㉡, ㉣)
㉡ $5×4=20$ (cm), ㉢ $(2+7)×2=18$ (cm),
㉣ $9×4=36$ (cm)입니다.
20 이상인 수는 20과 같거나 큰 수이므로 둘레가 20 cm 이상인 도형은 ㉡, ㉣입니다.

4 둘레가 30 cm 이하인 도형을 찾아 기호를 써 보세요.

| ㉠ 한 변의 길이가 10 cm인 정사각형 |
| ㉡ 한 변의 길이가 10 cm인 정삼각형 |
| ㉢ 가로가 8 cm, 세로가 9 cm인 직사각형 |
| ㉣ 한 변의 길이가 9 cm인 정오각형 |

✧ 도형의 둘레는 ㉠ $10×4=40$ (cm), (㉡)
㉡ $10×3=30$ (cm), ㉢ $(8+9)×2=34$ (cm),
㉣ $9×5=45$ (cm)입니다.
30 이하인 수는 30과 같거나 작은 수이므로 둘레가
30 cm 이하인 도형은 ㉡입니다.

유형 ③ 조건에 맞는 수 만들기   추론

1 수 카드 3장 중 몇 장을 골라 한 번씩만 사용하여 만들 수 있는 수 중에서 19 이상인 수는 모두 몇 개인지 구해 보세요.

| 1 | 5 | 9 |

❶ 수 카드 2장을 골라 만들 수 있는 19 이상인 수는 모두 몇 개일까요?

(**5개**)

❖ 19 이상인 수는 19와 같거나 큰 수이므로 19, 51, 59, 91, 95입니다. ➡ 5개

❷ 수 카드 3장으로 만들 수 있는 19 이상인 수는 모두 몇 개일까요?

(**6개**)

❖ 세 자리 수는 모두 19보다 큽니다.
➡ 159, 195, 519, 591, 915, 951 ➡ 6개

❸ 만들 수 있는 19 이상인 수는 모두 몇 개일까요?

(**11개**)

❖ 5+6=11(개)

2 수 카드 3장 중 몇 장을 골라 한 번씩만 사용하여 만들 수 있는 수 중에서 61 이하인 수는 모두 몇 개인지 구해 보세요.

| 6 | 1 | 4 |

(**8개**)

❖ 61 이하인 수 ➡ 61과 같거나 작은 수
만들 수 있는 61과 같거나 작은 수는 1, 4, 6, 14, 16, 41, 46, 61입니다. ➡ 8개

3 수 카드 3장 중 몇 장을 골라 한 번씩만 사용하여 만들 수 있는 수 중에서 273 미만인 수는 모두 몇 개인지 구해 보세요.

| 3 | 2 | 7 |

(**10개**)

❖ 273 미만인 수 ➡ 273보다 작은 수
만들 수 있는 273보다 작은 수는 2, 3, 7, 23, 27, 32, 37, 72, 73, 237입니다. ➡ 10개

4 수 카드 3장 중 몇 장을 골라 한 번씩만 사용하여 만들 수 있는 수 중에서 50 초과인 수는 모두 몇 개인지 구해 보세요.

| 0 | 5 | 8 |

(**7개**)

❖ 50 초과인 수 ➡ 50보다 큰 수
만들 수 있는 50보다 큰 수는 58, 80, 85, 508, 580, 805, 850입니다. ➡ 7개

유형 ④ 어림한 방법   추론

1 왼쪽의 수를 어림하여 나타낸 수를 오른쪽에서 찾아 선으로 연결한 것입니다. 세 수를 어림한 방법을 알아보세요.

❶ 알맞은 말에 ○표 하세요.

179를 (올림, (버림), 반올림)하여 (일 , 십 , (백))의 자리까지 나타낸 수가 100입니다.

❖ 179에서 백의 자리 아래 수인 79를 0으로 보고 버림하여 나타낸 수가 100입니다.

버림과 반올림의 순서가 바뀌어도 정답으로 인정합니다.

❷ 알맞은 말에 ○표 하세요.

264를 (올림, (버림), 반올림) 또는 (올림, 버림, (반올림))하여 (일 , (십) , 백)의 자리까지 나타낸 수가 260입니다.

❖ 264에서 십의 자리 아래 수인 4를 0으로 보고 버림하여 나타낸 수가 260입니다.
또는 264에서 십의 자리 바로 아래 자리의 숫자가 4이므로 반올림하여 십의 자리까지 나타낸 수가 260입니다.

❸ 알맞은 말에 ○표 하세요.

401을 ((올림) , 버림 , 반올림)하여 (일 , 십 , (백))의 자리까지 나타낸 수가 500입니다.

❖ 401에서 백의 자리 아래 수인 1을 100으로 보고 올림하여 나타낸 수가 500입니다.

2 왼쪽의 수를 어림하여 나타낸 수를 오른쪽에서 찾아 선으로 연결한 것입니다. 두 수를 어림한 방법을 알아보세요.

또는 반올림

• 218을 **올림** 하여 **십** 의 자리까지 나타낸 수가 220입니다.

• 191을 **버림** 하여 **백** 의 자리까지 나타낸 수가 100입니다.

❖ ⌈ 218에서 십의 자리 아래 수인 8을 10으로 보고 올림하여 나타낸 수가 220입니다.
└ 218에서 십의 자리 바로 아래 자리의 숫자가 8이므로 반올림하여 십의 자리까지 나타낸 수가 220입니다.
• 191에서 백의 자리 아래 수인 91을 0으로 보고 버림하여 나타낸 수가 100입니다.

3 왼쪽의 수를 어림하여 나타낸 수를 오른쪽에서 찾아 선으로 연결한 것입니다. 세 수를 어림한 방법을 알아보세요.

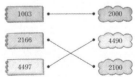

• 1003을 **올림** 하여 **천** 의 자리까지 나타낸 수가 2000입니다.

• 2166을 **버림** 하여 **백** 의 자리까지 나타낸 수가 2100입니다.

• 4497을 **버림** 하여 **십** 의 자리까지 나타낸 수가 4490입니다.

❖ • 1003에서 천의 자리 아래 수인 3을 1000으로 보고 올림하여 나타낸 수가 2000입니다.
• 2166에서 백의 자리 아래 수인 66을 0으로 보고 버림하여 나타낸 수가 2100입니다.
• 4497에서 십의 자리 아래 수인 7을 0으로 보고 버림하여 나타낸 수가 4490입니다.

유형 5 수직선에 나타낸 수의 범위 〔문제 해결〕

정답과 풀이 4쪽

1 수직선에 나타낸 수의 범위에 포함되는 자연수는 모두 9개입니다. ㉠에 알맞은 자연수를 구해 보세요.

❶ 수직선에 나타낸 수의 범위를 써 보세요.

㉠ **이상** 60 **미만** 인 수

✤ 이상, 이하는 경곗값을 포함하므로 ●으로 표시하고, 초과, 미만은 경곗값을 포함하지 않으므로 ○으로 표시합니다.

❷ 수의 범위에 포함되는 수 중에서 가장 큰 자연수를 써 보세요.

(**59**)

✤ 60보다 작은 수 중에서 가장 큰 자연수는 59입니다.

❸ ❷에서 구한 수부터 작아지는 수 9개를 써 보세요.

59, **58**, **57**, **56**, **55**, **54**, **53**, **52**, **51**
└ ❷에서 구한 수를 포함합니다.

❹ ㉠에 알맞은 자연수를 구해 보세요.

(**51**)

✤ 수의 범위에 ㉠이 포함되므로 ㉠은 51입니다.

2 수직선에 나타낸 수의 범위에 포함되는 자연수는 모두 8개입니다. ㉠에 알맞은 자연수를 구해 보세요.

(**11**)

✤ 수직선에 나타낸 수의 범위는 ㉠ 초과 19 이하인 수입니다. 19를 포함하므로 19부터 작아지는 수 8개를 쓰면 19, 18, 17, 16, 15, 14, 13, 12입니다. 수의 범위에 ㉠은 포함되지 않으므로 ㉠은 12보다 1 작은 수인 11입니다.

3 수직선에 나타낸 수의 범위에 포함되는 자연수는 모두 7개입니다. ㉠에 알맞은 자연수를 구해 보세요.

(**4**)

✤ 수직선에 나타낸 수의 범위는 ㉠ 이상 10 이하인 수입니다. 10을 포함하므로 10부터 작아지는 수 7개를 쓰면 10, 9, 8, 7, 6, 5, 4입니다. 수의 범위에 ㉠은 포함되므로 ㉠은 4입니다.

4 수직선에 나타낸 수의 범위에 포함되는 자연수는 모두 6개입니다. ㉠에 알맞은 자연수를 구해 보세요.

(**22**)

✤ 수직선에 나타낸 수의 범위는 15 초과 ㉠ 미만인 수입니다. 15를 포함하지 않으므로 16부터 커지는 수 6개를 쓰면 16, 17, 18, 19, 20, 21입니다. 수의 범위에 ㉠은 포함되지 않으므로 ㉠은 21보다 1 큰 수인 22입니다.

14 · Jump 5-2   1. 수의 범위와 어림하기 · 15

유형 6 동전을 지폐로 바꾸기 〔창의·융합〕

정답과 풀이 4쪽

1 동전을 모은 저금통을 열어 동전의 수를 세어 보니 500원짜리 104개, 100원짜리 120개, 50원짜리 40개, 10원짜리 22개였습니다. 이 돈을 지폐로 바꿀 때, 최대 얼마까지 바꿀 수 있는지 구해 보세요.

❶ 모은 돈은 전부 얼마인지 구해 보세요.

(**66220원**)

✤ $500 \times 104 + 100 \times 120 + 50 \times 40 + 10 \times 22$
$= 52000 + 12000 + 2000 + 220$
$= 66220$(원)

❷ 만 원짜리 지폐로만 바꾸면 최대 얼마까지 바꿀 수 있을까요?

(**60000원**)

✤ 66220을 버림하여 만의 자리까지 나타내면 60000이므로 60000원까지 바꿀 수 있습니다.

❸ 천 원짜리 지폐로만 바꾸면 최대 얼마까지 바꿀 수 있을까요?

(**66000원**)

✤ 66220을 버림하여 천의 자리까지 나타내면 66000이므로 66000원까지 바꿀 수 있습니다.

2 동전을 모은 저금통을 열어 동전의 수를 세어 보니 500원짜리 200개, 100원짜리 140개, 50원짜리 80개, 10원짜리 35개였습니다. 이 돈을 만 원짜리 또는 천 원짜리 지폐로만 바꿀 때, 최대 얼마까지 바꿀 수 있는지 구해 보세요.

만 원짜리 지폐로만 바꿀 때 (**110000원**)
천 원짜리 지폐로만 바꿀 때 (**118000원**)

✤ $500 \times 200 + 100 \times 140 + 50 \times 80 + 10 \times 35$
$= 100000 + 14000 + 4000 + 350 = 118350$(원)
118350을 버림하여 만의 자리까지 나타내면 110000이므로 만 원짜리 지폐로만 바꾸면 110000원까지 바꿀 수 있습니다.
118350을 버림하여 천의 자리까지 나타내면 118000이므로 천 원짜리 지폐로만 바꾸면 118000원까지 바꿀 수 있습니다.

3 동전이 500원짜리 163개, 100원짜리 77개, 50원짜리 21개, 10원짜리 50개가 있습니다. 이 돈을 만 원짜리 또는 천 원짜리 지폐로만 바꿀 때, 최대 얼마까지 바꿀 수 있는지 구해 보세요.

만 원짜리 지폐로만 바꿀 때 (**90000원**)
천 원짜리 지폐로만 바꿀 때 (**90000원**)

✤ $500 \times 163 + 100 \times 77 + 50 \times 21 + 10 \times 50$
$= 81500 + 7700 + 1050 + 500 = 90750$(원)
90750을 버림하여 만의 자리까지 나타내면 90000이므로 만 원짜리 지폐로만 바꾸면 90000원까지 바꿀 수 있습니다.
90750을 버림하여 천의 자리까지 나타내면 90000이므로 천 원짜리 지폐로만 바꾸면 90000원까지 바꿀 수 있습니다.

16 · Jump 5-2   1. 수의 범위와 어림하기 · 17

사고력 종합 평가

정답과 풀이 5쪽

1 11 이상인 수에 모두 ○표 하고, 27 이하인 수에 모두 △표 하세요.

❖ 11 이상인 수 ➡ 11과 같거나 큰 수 ➡ 11, 20, 31, 29, 16, 27에 ○표
27 이하인 수 ➡ 27과 같거나 작은 수 ➡ 8, 11, 20, 16, 27, 5에 △표

2 공과 바구니가 있습니다. 각 바구니의 범위에 포함되는 수가 쓰인 공을 모두 담으려고 합니다. 담고 남은 공은 몇 개인지 구해 보세요.

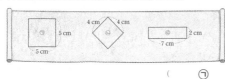

(**5개**)

❖ 16 초과인 수는 25, 17, 28, 30이므로
노란색 바구니에 담을 수 있는 공은 4개입니다.
9 미만인 수는 2이므로 파란색 바구니에 담을 수 있는 공은 1개입니다.
➡ 두 바구니에 담고 남은 공은 10−4−1=5(개)입니다.

3 다음 직사각형 중에서 둘레가 20 cm 이상인 것을 찾아 기호를 써 보세요.

(**㉠**)

❖ ㉠ 5×4=20 (cm) ㉡ 4×4=16 (cm)
㉢ (7+2)×2=18 (cm)
➡ 20 이상인 수는 20과 같거나 큰 수이므로 둘레가 20 cm
이상인 도형은 ㉠입니다.

4 넓이가 21 cm² 미만인 도형을 찾아 기호를 써 보세요.

(**㉠**)

❖ ㉠ 6×3=18 (cm²)
㉡ 5×5=25 (cm²) ㉢ 7×3=21 (cm²)
➡ 21 미만인 수는 21보다 작은 수이므로 넓이가 21 cm² 미
만인 도형은 ㉠입니다.

5 한 변의 길이가 17 cm인 정사각형 모양 색종이 2장을 겹치지 않게 이어 붙여서 직사각형을 만들었습니다. 이어 붙여 만든 직사각형의 둘레를 반올림하여 십의 자리까지 나타내어 보세요.

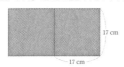

(**100 cm**)

❖ 직사각형의 둘레는 17 cm인 선분 6개로 이루어졌습니다.
➡ 17×6=102 (cm)
102를 반올림하여 십의 자리까지 나타내면 102 ➡ 100입니다.

6 수 카드 3장 중 몇 장을 골라 한 번씩만 사용하여 만들 수 있는 수 중에서 76 이하인 수는 모두 몇 개인지 구해 보세요.

  8

(**6개**)

❖ 76 이하인 수는 76과 같거나 작은 수입니다.
➡ 6, 7, 8, 67, 68, 76이므로 6개입니다.

사고력 종합 평가

❖ 841을 버림하여 백의 자리까지 나타내면 841 ➡ 800입니다.
841을 반올림하여 백의 자리까지 나타내면 841 ➡ 800입니다.

정답과 풀이 5쪽

10 841을 어림하여 나타낸 수가 800입니다. 어림한 방법을 2가지의 서로 다른 방법으로 써 보세요.

방법1 예 **841을 버림하여 백의 자리까지 나타낸 수가 800입니다.**

방법2 예 **841을 반올림하여 백의 자리까지 나타낸 수가 800입니다.**

7 왼쪽 공의 수를 어림하여 나타낸 수가 오른쪽 공에 쓰여 있습니다. 수를 어림한 방법을 완성해 보세요.

(1)

➡ 598을 **버림** 하여 **십** 의 자리까지 나타낸 수가 590입니다.

❖ (1) 598에서 십의 자리 아래 수인 8을 0으로 보고 버림하여 나타낸 수가 590입니다.

(2)

➡ 603을 **올림** 하여 **백** 의 자리까지 나타낸 수가 700입니다.

(2) 603에서 백의 자리 아래 수인 3을 100으로 보고 올림하여 나타낸 수가 700입니다.

8 수직선에 나타낸 수의 범위에 포함되는 자연수가 10개일 때, ㉠에 알맞은 자연수를 구해 보세요.

(**16**)

❖ 수직선에 나타낸 수의 범위는 ㉠ 이상 26 미만인 수입니다.
26을 포함하지 않으므로 25부터 작아지는 수 10개를 쓰면
25, 24, 23, 22, 21, 20, 19, 18, 17, 16입니다.
수의 범위에 ㉠이 포함되므로 ㉠은 16입니다.

9 수직선에 나타낸 수의 범위에 포함되는 자연수가 12개일 때, ㉠에 알맞은 자연수를 구해 보세요.

(**11**)

❖ 수직선에 나타낸 수의 범위는 ㉠ 초과 24 미만인 수입니다.
24를 포함하지 않으므로 23부터 작아지는 수 12개를 쓰면
23, 22, 21, 20, 19, 18, 17, 16, 15, 14, 13, 12입니다.
수의 범위에 ㉠이 포함되지 않으므로 ㉠은 12보다 1 작은 수인 11입니다.

11 동전을 모은 저금통을 열어 동전의 수를 세어 보니 500원짜리 1776개, 100원짜리 233개, 50원짜리 50개, 10원짜리 18개였습니다. 이 돈을 만 원짜리 또는 천 원짜리 지폐로만 바꿀 때, 최대 얼마까지 바꿀 수 있는지 구해 보세요.

❖ 모은 돈은 모두 113980원입니다.
113980을 버림하여 만의 자리까지 나타내면 110000이므로 만 원짜리 지폐로만 바꾸면 110000원까지 바꿀 수 있습니다.
113980을 버림하여 천의 자리까지 나타내면 113000이므로 천 원짜리 지폐로만 바꾸면 113000원까지 바꿀 수 있습니다.

 176개
 233개
 50개
18개

만 원짜리 지폐로만 바꿀 때 (**110000원**)
천 원짜리 지폐로만 바꿀 때 (**113000원**)

12 젤리 가게에서 젤리 613개를 만들었습니다. 다음과 같이 젤리를 팔면 받을 수 있는 돈은 최대 얼마일까요?

한 상자에 100개씩 넣어 6500원에 팝니다.

(**39000원**)

❖ 상자에 넣은 젤리가 100개보다 적으면 팔 수 없으므로 버림하여 백의 자리까지 나타냅니다.
613 ➡ 600이므로 젤리는 최대 6상자까지 팔 수 있습니다.
6상자에 젤리를 100개씩 담고 남은 13개는 팔 수 없습니다.
따라서 젤리를 팔면 받을 수 있는 돈은 최대 6500×6=39000(원)입니다.

사고력 종합 평가

정답과 풀이 6쪽

13 수 카드 4장 중에서 3장을 골라 한 번씩만 사용하여 만들 수 있는 세 자리 수 중에서 358 이상 375 미만인 수는 모두 몇 개인지 구해 보세요.

  ③ ⑤ ⑧ ⑥

❖ 358과 같거나 크고 375보다 작은 수이므로 (**3개**)
백의 자리 숫자는 3이고 십의 자리 숫자는 5 또는 6입니다.
십의 자리 숫자가 5일 때 358이고, 십의 자리 숫자가 6일 때 365, 368입니다.
따라서 만들 수 있는 수는 358, 365, 368로 모두 3개입니다.

14 두 범위에 공통으로 포함되는 수의 범위를 알아보려고 합니다. ☐ 안에 알맞은 자연수를 써넣으세요.

> • 20 초과 41 미만인 자연수
> • 33 이상 53 이하인 자연수

→ **32** 초과 **40** 이하인 자연수

❖ 20 초과 41 미만인 자연수는 21, 22, 23 …… 39, 40이고,
33 이상 53 이하인 자연수는 33, 34, 35 …… 52, 53입니다.
두 범위에 공통으로 포함되는 수는 33, 34, 35, 36, 37, 38,
39, 40입니다. → 32 초과 40 이하인 자연수

15 조건을 모두 만족하는 소수 세 자리 수를 구해 보세요.

> 조건
> • 자연수 부분은 2 초과 3 이하인 수입니다.
> • 소수 첫째 자리 수는 5 이상 6 미만인 수입니다.
> • 소수 둘째 자리 수는 8입니다.
> • 각 자리 수의 합은 20입니다.

(**3.584**)

❖ • 자연수 부분은 2 초과 3 이하인 수이므로 3입니다. → 3.☐☐☐
• 소수 첫째 자리 수는 5 이상 6 미만인 수이므로 5입니다. → 3.5☐☐
• 소수 둘째 자리 수는 8입니다. → 3.58☐
• 각 자리 수의 합이 20이므로 $3+5+8+☐=20$,
$16+☐=20, ☐=4$ → 3.584

> [GO! 매쓰]
> 여기까지 1단원 내용입니다.
> 다음부터는 2단원 내용이
> 시작합니다.

유형 **①** 도형의 둘레 구하기 〔창의·융합〕

정답과 풀이 6쪽

1 보기와 같이 점을 선으로 연결하여 두 도형 가와 나를 만들었습니다. 가와 나 중 어느 도형의 둘레가 몇 m 더 긴지 구해 보세요. (단, 점과 점 사이의 길이는 모두 같습니다.)

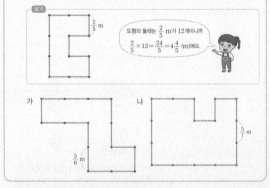

> 도형의 둘레는 $\frac{2}{5}$ m가 12개이니까
> $\frac{2}{5} \times 12 = \frac{24}{5} = 4\frac{4}{5}$ (m)예요.

❶ 도형 가의 둘레는 몇 m인지 구해 보세요.

❖ (도형 가의 둘레)$= \frac{5}{6} \times \overset{7}{14} = \frac{35}{3} = 11\frac{2}{3}$ (m) ($11\frac{2}{3}$ m)

❷ 도형 나의 둘레는 몇 m인지 구해 보세요.

❖ (도형 나의 둘레)$= \frac{5}{7} \times 16 = \frac{80}{7} = 11\frac{3}{7}$ (m) ($11\frac{3}{7}$ m)

❸ 가와 나 중 도형의 둘레가 몇 m 더 긴지 차례로 구해 보세요.

(**가**), ($\frac{5}{21}$ m)

❖ $11\frac{2}{3} \left(= 11\frac{14}{21} \right) > 11\frac{3}{7} \left(= 11\frac{9}{21} \right)$ 이므로 도형 가의 둘레가

$11\frac{2}{3} - 11\frac{3}{7} = 11\frac{14}{21} - 11\frac{9}{21} = \frac{5}{21}$ (m) 더 깁니다.

2 정다각형 모양의 액자틀을 만들었습니다. 만든 액자틀의 둘레는 몇 m인지 구해 보세요.

(1)
$2\frac{1}{3}$ m
(**7 m**)

(2)
$\frac{7}{12}$ m
($2\frac{1}{3}$ m)

❖ (정삼각형의 둘레)
=(한 변의 길이)×(변의 수)
$= 2\frac{1}{3} \times 3 = \frac{7}{3} \times \overset{1}{3} = 7$ (m)

❖ (정사각형의 둘레)
=(한 변의 길이)×(변의 수)
$= \frac{7}{\underset{3}{12}} \times \overset{1}{4} = \frac{7}{3} = 2\frac{1}{3}$ (m)

3 한 변의 길이가 $\frac{3}{8}$ m인 똑같은 모양의 마름모를 겹치지 않게 이어 붙여 만든 도형입니다. 만든 도형의 둘레는 몇 m인지 구해 보세요.

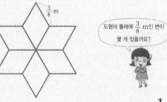
$\frac{3}{8}$ m

> 도형의 둘레에 $\frac{3}{8}$ m인 변이
> 몇 개 있을까요?

($4\frac{1}{2}$ m)

❖ 마름모는 네 변의 길이가 모두 같으므로 만든 도형의 둘레는
$\frac{3}{8}$ m인 변이 12개인 길이와 같습니다.

→ (도형의 둘레)=(한 변의 길이)×(변의 수)
$= \frac{3}{8} \times \overset{3}{12} = \frac{9}{2} = 4\frac{1}{2}$ (m)

2. 분수의 곱셈 · 25

2 단원

유형 ② 색칠한 부분의 넓이 구하기 〔창의·융합〕

1 다음 그림은 한 변의 길이가 $5\frac{1}{3}$ cm인 정사각형을 그린 다음, 정사각형의 각 변의 가운데 점을 이어 작은 정사각형을 2개 더 그린 것입니다. 색칠한 부분의 넓이는 몇 cm²인지 구해 보세요.

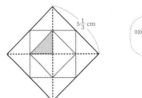

각 변의 가운데 점을 이어 만든 정사각형의 넓이는 만들기 전 정사각형의 넓이의 반이에요.

❶ 처음 정사각형의 넓이는 몇 cm²인지 구해 보세요.

($28\frac{4}{9}$ cm²)

✧ (처음 정사각형의 넓이) $=5\frac{1}{3}\times5\frac{1}{3}=\frac{16}{3}\times\frac{16}{3}=\frac{256}{9}=28\frac{4}{9}$ (cm²)

❷ 처음 정사각형의 마주 보는 꼭짓점끼리 점선으로 이어 보세요.

❸ 색칠한 부분의 넓이는 처음 정사각형의 넓이의 몇 분의 몇인지 구해 보세요.

($\frac{1}{16}$)

✧ 색칠한 부분의 넓이는 전체를 똑같이 16으로 나눈 것 중의 1이므로 처음 정사각형의 넓이의 $\frac{1}{16}$입니다.

❹ 색칠한 부분의 넓이는 몇 cm²인지 구해 보세요.

✧ (색칠한 부분의 넓이)　　($1\frac{7}{9}$ cm²)

$=28\frac{4}{9}\times\frac{1}{16}=\frac{\overset{16}{\cancel{256}}}{9}\times\frac{1}{\cancel{16}}=\frac{16}{9}=1\frac{7}{9}$ (cm²)

26 · Jump 5-2

---

2 다음 그림은 가로가 $5\frac{1}{4}$ cm, 세로가 $2\frac{6}{7}$ cm인 직사각형을 그린 다음, 직사각형의 각 변의 가운데 점을 이어 작은 사각형을 2개 더 그린 것입니다. 색칠한 사각형의 넓이는 몇 cm²인지 구해 보세요.

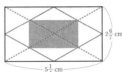

처음 직사각형의 마주 보는 꼭짓점끼리 점선으로 이어 보세요.

✧ (처음 직사각형의 넓이)　　($3\frac{3}{4}$ cm²)

$=5\frac{1}{4}\times2\frac{6}{7}=\frac{\overset{3}{\cancel{21}}}{\cancel{4}}\times\frac{\overset{5}{\cancel{20}}}{\cancel{7}}=15$ (cm²)

색칠한 사각형의 넓이는 전체를 똑같이 4로 나눈 것 중의 1이므로 처음 직사각형의 넓이의 $\frac{1}{4}$입니다.

➜ (색칠한 사각형의 넓이) $=15\times\frac{1}{4}=\frac{15}{4}=3\frac{3}{4}$ (cm²)

3 다음 그림은 가로가 $9\frac{1}{7}$ cm, 세로가 $1\frac{3}{4}$ cm인 직사각형을 똑같이 나눈 것입니다. 색칠한 부분의 넓이는 몇 cm²인지 구해 보세요.

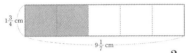

✧ (직사각형의 넓이)　　($6\frac{2}{5}$ cm²)

$=9\frac{1}{7}\times1\frac{3}{4}=\frac{\overset{16}{\cancel{64}}}{\cancel{7}}\times\frac{\overset{1}{\cancel{7}}}{\cancel{4}}=16$ (cm²)

색칠한 부분은 전체를 똑같이 5로 나눈 것 중의 2이므로 전체의 $\frac{2}{5}$입니다.

➜ (색칠한 부분의 넓이) $=16\times\frac{2}{5}=\frac{32}{5}=6\frac{2}{5}$ (cm²)

2. 분수의 곱셈 · 27

유형 ③ 바르게 계산한 값 구하기 〔문제 해결〕

1 어떤 수에 $2\frac{1}{2}$을 곱해야 할 것을 잘못하여 뺐더니 $3\frac{3}{5}$이 되었습니다. 바르게 계산한 값을 구해 보세요.

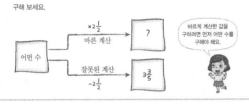

바르게 계산한 값을 구하려면 먼저 어떤 수를 구해야 해요.

❶ 어떤 수를 □라 하여 잘못된 식을 써 보세요.

식 $\square-2\frac{1}{2}=3\frac{3}{5}$

❷ 어떤 수를 구해 보세요.

($6\frac{1}{10}$)

✧ $\square-2\frac{1}{2}=3\frac{3}{5}$에서

$\square=3\frac{3}{5}+2\frac{1}{2}=3\frac{6}{10}+2\frac{5}{10}=5\frac{11}{10}=6\frac{1}{10}$입니다.

❸ 바르게 계산한 값을 구해 보세요.

($15\frac{1}{4}$)

✧ 어떤 수가 $6\frac{1}{10}$이므로 바르게 계산하면

$6\frac{1}{10}\times2\frac{1}{2}=\frac{61}{\cancel{10}}\times\frac{\cancel{5}}{2}=\frac{61}{4}=15\frac{1}{4}$입니다.

28 · Jump 5-2

---

2 어떤 수에 $5\frac{1}{3}$을 곱해야 할 것을 잘못하여 더했더니 $7\frac{3}{8}$이 되었습니다. □ 안에 알맞은 분수를 써넣고 바르게 계산한 값은 얼마인지 구해 보세요.

✧ 어떤 수를 □라 하면　　($10\frac{8}{9}$)

$\square+5\frac{1}{3}=7\frac{3}{8}$이므로

$\square=7\frac{3}{8}-5\frac{1}{3}=7\frac{9}{24}-5\frac{8}{24}=2\frac{1}{24}$입니다.

따라서 바르게 계산하면 $2\frac{1}{24}\times5\frac{1}{3}=\frac{49}{\cancel{24}}\times\frac{\overset{2}{\cancel{16}}}{3}=\frac{98}{9}=10\frac{8}{9}$입니다.

3 어떤 수에 3을 곱해야 할 것을 잘못하여 더했더니 $5\frac{5}{8}$이 되었습니다. 바르게 계산한 값을 구해 보세요.

✧ 어떤 수를 □라 하면 $\square+3=5\frac{5}{8}$이므로　　($7\frac{7}{8}$)

$\square=5\frac{5}{8}-3=2\frac{5}{8}$입니다.

따라서 바르게 계산하면 $2\frac{5}{8}\times3=\frac{21}{8}\times3=\frac{63}{8}=7\frac{7}{8}$입니다.

4 어떤 수에 $2\frac{1}{2}$을 곱해야 할 것을 잘못하여 뺐더니 $3\frac{9}{10}$가 되었습니다. 바르게 계산한 값을 구해 보세요.

✧ 어떤 수를 □라 하면 $\square-2\frac{1}{2}=3\frac{9}{10}$이므로　　(16)

$\square=3\frac{9}{10}+2\frac{1}{2}=3\frac{9}{10}+2\frac{5}{10}=5\frac{14}{10}=6\frac{4}{10}=6\frac{2}{5}$입니다.

따라서 바르게 계산하면 $6\frac{2}{5}\times2\frac{1}{2}=\frac{\overset{16}{\cancel{32}}}{\cancel{5}}\times\frac{\cancel{5}}{\cancel{2}}=16$입니다. 2. 분수의 곱셈 · 29

GO! 매쓰 Jump 정답

유형 ④ 분수를 만들어 계산하기 _{문제 해결}

1 4장의 수 카드 중에서 3장을 골라 한 번씩만 사용하여 대분수를 만들려고 합니다. 만들 수 있는 가장 큰 대분수와 남은 수와의 곱은 얼마인지 구해 보세요.

❶ 가장 큰 대분수를 만들 때 자연수 부분에 어떤 수가 적힌 카드를 놓아야 할까요?

(**9**)

❖ 가장 큰 대분수를 만들려면 자연수 부분에 가장 큰 수인 9를 놓아야 합니다.

❷ ❶에서 구한 수를 자연수 부분에 놓고 만들 수 있는 대분수를 모두 써 보세요.

❸ 만들 수 있는 가장 큰 대분수를 써 보세요.

($9\frac{5}{7}$)

❖ $9\frac{5}{7} > 9\frac{5}{2} > 9\frac{2}{7}$이므로 만들 수 있는 가장 큰 대분수는 $9\frac{5}{7}$입니다.

❹ 가장 큰 대분수를 만들고 남은 수를 써 보세요.

❖ 5, 7, 9를 사용하여 가장 큰 대분수 $9\frac{5}{7}$를 (**2**)

만들었으므로 남은 수는 2입니다.

❺ 만들 수 있는 가장 큰 대분수와 남은 수와의 곱을 구해 보세요.

❖ 만들 수 있는 가장 큰 대분수: $9\frac{5}{7}$, 남은 수: 2 ($19\frac{3}{7}$)

→ $9\frac{5}{7} \times 2 = \frac{68}{7} \times 2 = \frac{136}{7} = 19\frac{3}{7}$

❖ 가장 작은 대분수를 만들려면 자연수 부분에 가장 작은 수인 1을 놓아야 합니다. 따라서 자연수 부분이 1인 대분수는 _{정답과 풀이 8쪽}

$1\frac{3}{6}$, $1\frac{3}{7}$, $1\frac{6}{7}$이고 이 중에서 가장 작은 대분수는 $1\frac{3}{7}$입니다.

2 4장의 수 카드 중에서 3장을 골라 한 번씩 사용하여 대분수를 만들려고 합니다. 만들 수 있는 가장 작은 대분수와 남은 수의 곱은 얼마인지 구해 보세요.

(1) 만들 수 있는 가장 작은 대분수를 구해 보세요.

($1\frac{3}{7}$)

(2) 만들 수 있는 가장 작은 대분수와 남은 수와의 곱을 구해 보세요.

($8\frac{4}{7}$)

❖ 만들 수 있는 가장 작은 대분수: $1\frac{3}{7}$, 남은 수: 6

→ $1\frac{3}{7} \times 6 = \frac{10}{7} \times 6 = \frac{60}{7} = 8\frac{4}{7}$

3 수 카드를 한 번씩만 모두 사용하여 대분수를 만들려고 합니다. 만들 수 있는 가장 큰 대분수와 가장 작은 대분수의 곱은 얼마인지 구해 보세요.

(1) 만들 수 있는 가장 큰 대분수를 구해 보세요.

❖ $4 > 3 > 2$이므로 만들 수 있는 가장 큰 대분수는 $4\frac{2}{3}$입니다. ($4\frac{2}{3}$)

(2) 만들 수 있는 가장 작은 대분수를 구해 보세요.

❖ $2 < 3 < 4$이므로 만들 수 있는 가장 작은 대분수는 ($2\frac{3}{4}$)

$2\frac{3}{4}$입니다.

(3) 만들 수 있는 가장 큰 대분수와 가장 작은 대분수의 곱을 구해 보세요.

($12\frac{5}{6}$)

❖ $4\frac{2}{3} \times 2\frac{3}{4} = \frac{\overset{7}{14}}{3} \times \frac{11}{\underset{2}{4}} = \frac{77}{6} = 12\frac{5}{6}$

유형 ⑤ 시간이 주어진 경우의 거리 구하기 _{문제 해결}

_{정답과 풀이 8쪽}

1 한 시간에 132 km를 일정한 빠르기로 달리는 기차가 있습니다. 이 기차가 같은 빠르기로 450 km 떨어진 목적지를 향해 1시간 45분 동안 달렸습니다. 목적지까지 가려면 앞으로 몇 km를 더 가야 하는지 구해 보세요.

우리가 탄 기차가 한 시간에 132 km를 달리는 기차야.

❶ 1시간 45분은 몇 시간인지 기약분수로 나타내어 보세요.

1시간=60분이니까 ▲분=$\frac{▲}{60}$시간이에요.

($1\frac{3}{4}$시간)

❖ 1시간 45분=$1\frac{45}{60}$시간=$1\frac{3}{4}$시간

❷ 기차는 1시간 45분 동안 몇 km를 갈 수 있는지 구해 보세요.

❖ (기차가 1시간 45분 동안 갈 수 있는 거리) (**231 km**)

$=132 \times 1\frac{3}{4} = \overset{33}{132} \times \frac{7}{\underset{1}{4}} = 231$ (km)

❸ 목적지까지 가려면 앞으로 몇 km를 더 가야 하는지 구해 보세요.

(**219 km**)

❖ $450 - 231 = 219$ (km)

---

2 준우가 공원을 걷고 있습니다. 같은 빠르기로 40분 동안 걷는다면 몇 km를 걸을 수 있는지 구해 보세요.

난 한 시간에 $4\frac{1}{2}$ km를 일정한 빠르기로 걸어.

❖ 40분=$\frac{40}{60}$시간=$\frac{2}{3}$시간 (**3 km**)

(준우가 40분 동안 걸을 수 있는 거리)

$=4\frac{1}{2} \times \frac{2}{3} = \frac{\overset{3}{9}}{\underset{1}{2}} \times \frac{\overset{1}{2}}{\underset{1}{3}} = 3$ (km)

3 한 시간에 78 km를 일정한 빠르기로 달리는 자동차가 있습니다. 이 자동차가 같은 빠르기로 3시간 30분 동안 달린다면 몇 km를 갈 수 있는지 구해 보세요.

❖ 3시간 30분=$3\frac{30}{60}$시간=$3\frac{1}{2}$시간 (**273 km**)

(자동차가 3시간 30분 동안 갈 수 있는 거리)

$=78 \times 3\frac{1}{2} = \overset{39}{78} \times \frac{7}{\underset{1}{2}} = 273$ (km)

4 재석이는 자전거로 한 시간에 $10\frac{4}{5}$ km를 일정한 빠르기로 달린다고 합니다. 같은 빠르기로 2시간 10분 동안 달린다면 몇 km를 갈 수 있는지 구해 보세요.

❖ 2시간 10분=$2\frac{10}{60}$시간=$2\frac{1}{6}$시간 ($23\frac{2}{5}$ km)

(자전거로 2시간 10분 동안 갈 수 있는 거리)

$=10\frac{4}{5} \times 2\frac{1}{6} = \frac{\overset{9}{54}}{5} \times \frac{13}{\underset{1}{6}} = \frac{117}{5} = 23\frac{2}{5}$ (km)

유형 ⑥ 남은 양 구하기 〈문제 해결〉

1 영지는 어머니께 용돈으로 8000원을 받았습니다. 용돈의 $\frac{2}{5}$는 저금을 했고, 용돈의 $\frac{1}{4}$은 간식을 사 먹었습니다. 영지에게 남은 돈은 얼마인지 구해 보세요.

용돈의 $\frac{2}{5}$

남은 돈은 얼마일까?

용돈의 $\frac{1}{4}$

영지

❶ 영지가 저금한 돈은 얼마인지 구해 보세요.

(**3200원**)

❖ (영지가 저금한 돈)=$\overset{1600}{\cancel{8000}} \times \frac{2}{\cancel{5}}$=3200(원)

❷ 영지가 간식을 사 먹은 돈은 얼마인지 구해 보세요.

(**2000원**)

❖ (영지가 간식을 사 먹은 돈)=$\overset{2000}{\cancel{8000}} \times \frac{1}{\cancel{4}}$=2000(원)

❸ 영지가 사용한 돈은 모두 얼마인지 구해 보세요.

(**5200원**)

❖ (영지가 사용한 돈)=(영지가 저금한 돈)+(영지가 간식을 사 먹은 돈)
=3200+2000=5200(원)

❹ 영지에게 남은 돈은 얼마인지 구해 보세요.

(**2800원**)

❖ (영지에게 남은 돈)=(어머니께 받은 용돈)-(영지가 사용한 돈)
=8000-5200=2800(원)

정답과 풀이 9쪽

2 넓이가 600 cm²인 직사각형 모양의 색상지가 있습니다. 혜수는 색상지의 $\frac{5}{12}$는 장미꽃 모양을 접는 데 사용했고, 색상지의 $\frac{1}{5}$은 꽃병 모양을 접는 데 사용했습니다. 혜수가 사용하고 남은 색상지의 넓이는 몇 cm²인지 구해 보세요.

❖ (장미꽃 모양을 접는 데 사용한 색상지의 넓이)

=$\overset{50}{\cancel{600}} \times \frac{5}{\cancel{12}}$=250 (cm²)

(**230 cm²**)

(꽃병 모양을 접는 데 사용한 색상지의 넓이)=$\overset{120}{\cancel{600}} \times \frac{1}{\cancel{5}}$=120 (cm²)

➜ (사용하고 남은 색상지의 넓이)=600-(250+120)=230 (cm²)

3 승기는 전체 쪽수가 180쪽인 위인전을 읽고 있습니다. 어제는 책 전체의 $\frac{2}{9}$를 읽었고, 오늘은 어제 읽고 난 나머지의 $\frac{1}{5}$을 읽었습니다. 승기가 오늘 읽은 양은 모두 몇 쪽인지 구해 보세요.

(1) 승기가 어제 읽고 남은 양은 위인전 전체의 얼마일까요?

($\frac{7}{9}$)

❖ 어제 책 전체의 $\frac{2}{9}$를 읽었으므로 어제

읽고 남은 양은 위인전 전체의 $1-\frac{2}{9}=\frac{7}{9}$입니다.

(2) 승기가 오늘 읽은 양은 위인전 전체의 얼마일까요?

($\frac{7}{45}$)

❖ 오늘 읽은 양은 위인전 전체의 $\frac{7}{9} \times \frac{1}{5}=\frac{7}{45}$입니다.

(3) 승기가 오늘 읽은 양은 모두 몇 쪽일까요?

(**28쪽**)

❖ (오늘 읽은 쪽수)=$\overset{4}{\cancel{180}} \times \frac{7}{\cancel{45}}$=28(쪽)

사고력 종합 평가

1 정오각형의 둘레는 몇 cm인지 구해 보세요.

$8\frac{5}{7}$ cm

정다각형은 변의 길이가 모두 같아요.

($43\frac{4}{7}$ cm)

❖ (정오각형의 둘레)=(한 변의 길이)×(변의 수)

=$8\frac{5}{7} \times 5=\frac{61}{7} \times 5=\frac{305}{7}=43\frac{4}{7}$ (cm)

2 다음과 같이 점을 선으로 연결하여 만든 도형의 둘레는 몇 m인지 구해 보세요. (단, 점과 점 사이의 길이는 모두 같습니다.)

$\frac{1}{8}$ m

($2\frac{1}{4}$ m)

❖ (도형의 둘레)=$\frac{1}{\cancel{8}} \times \overset{9}{\cancel{18}}=\frac{9}{4}=2\frac{1}{4}$ (m)

3 ☐ 안에 알맞은 자연수를 모두 구해 보세요.

$$\frac{1}{30} < \frac{1}{\square} \times \frac{1}{6} < \frac{1}{10}$$

❖ 단위분수는 분모가 작을수록 큰 분수입니다. (**2, 3, 4**)

$\frac{1}{30} < \frac{1}{\square} \times \frac{1}{6} < \frac{1}{10}$에서 $\frac{1}{30} < \frac{1}{\square \times 6} < \frac{1}{10}$이므로

$10 < \square \times 6 < 30$입니다.

따라서 ☐ 안에 들어갈 수 있는 자연수는 2, 3, 4입니다.

정답과 풀이 9쪽

4 6장의 수 카드를 한 번씩 모두 사용하여 3개의 진분수를 만들려고 합니다. 만든 세 분수를 곱하였을 때 가장 작은 곱은 얼마인지 구해 보세요.

$\boxed{2}$ $\boxed{3}$ $\boxed{4}$ $\boxed{5}$ $\boxed{8}$ $\boxed{9}$

❖ 분모가 클수록 분자가 작을수록 계산 결과가 작아집니다. ($\frac{1}{15}$)

따라서 6장의 수 카드 중 큰 수부터 차례로 3장을 분모의 자리에, 작은 수부터 차례로 3장을 분자의 자리에 놓습니다. ➜ $\frac{\cancel{2}}{\cancel{9}} \times \frac{\cancel{3}}{\cancel{8}} \times \frac{\cancel{4}}{5}=\frac{1}{15}$

5 색칠한 부분의 넓이는 몇 cm²인지 구해 보세요.

❖ (색칠한 부분의 가로)

=$10\frac{2}{5}-3\frac{1}{2}$

=$10\frac{4}{10}-3\frac{5}{10}$

=$9\frac{14}{10}-3\frac{5}{10}=6\frac{9}{10}$ (cm)

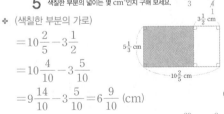

$3\frac{1}{2}$ cm

$5\frac{1}{3}$ cm

$10\frac{2}{5}$ cm

($36\frac{4}{5}$ cm²)

➜ (색칠한 부분의 넓이)=$6\frac{9}{10} \times 5\frac{1}{3}=\frac{\overset{23}{\cancel{69}}}{\cancel{10}} \times \frac{\overset{8}{\cancel{16}}}{\cancel{3}}=\frac{184}{5}=36\frac{4}{5}$ (cm²)

6 다음 그림은 직사각형을 똑같이 나눈 것입니다. 색칠한 부분의 넓이는 몇 cm²인지 구해 보세요.

❖ 색칠한 부분은 직사각형을 똑같이 8로 나눈 것 중의 3이므로 전체의 $\frac{3}{8}$입니다.

$1\frac{11}{15}$ cm

5 cm

($3\frac{1}{4}$ cm²)

(직사각형의 넓이)=$5 \times 1\frac{11}{15}=\frac{1}{\cancel{5}} \times \frac{26}{\cancel{15}}=\frac{26}{3}=8\frac{2}{3}$ (cm²)

➜ (색칠한 부분의 넓이)=$8\frac{2}{3} \times \frac{3}{8}=\frac{\overset{13}{\cancel{26}}}{\cancel{3}} \times \frac{\cancel{3}}{\cancel{8}}=\frac{13}{4}=3\frac{1}{4}$ (cm²)

정답과 풀이 10쪽

사고력 종합 평가

7 수 카드를 각각 한 번씩만 사용하여 만들 수 있는 가장 큰 대분수와 가장 작은 대분수의 곱은 얼마인지 구해 보세요.

($21\dfrac{17}{20}$)

❖ $5>4>3$이므로 만들 수  있는 가장 큰 대분수는 $5\dfrac{3}{4}$이고

$3<4<5$이므로 만들 수 있는 가장 작은 대분수는 $3\dfrac{4}{5}$입니다.

➡ $5\dfrac{3}{4} \times 3\dfrac{4}{5} = \dfrac{23}{4} \times \dfrac{19}{5} = \dfrac{437}{20} = 21\dfrac{17}{20}$

8 약속과 같이 계산할 때 9◉10의 값을 구해 보세요.

약속

$가 ◉ 나 = \left(\dfrac{나}{가} - \dfrac{가}{나}\right) \times \dfrac{나}{가}$

> 가에는 9를, 나에는 10을 넣어서 계산해 보세요.

($\dfrac{19}{81}$)

❖ $9◉10 = \left(\dfrac{10}{9} - \dfrac{9}{10}\right) \times \dfrac{10}{9}$

$= \left(\dfrac{100}{90} - \dfrac{81}{90}\right) \times \dfrac{10}{9} = \dfrac{19}{\overset{}{\underset{9}{90}}} \times \dfrac{\overset{1}{10}}{9} = \dfrac{19}{81}$

9 어떤 수에 $3\dfrac{1}{3}$을 곱해야 할 것을 잘못하여 뺐더니 $1\dfrac{3}{4}$이 되었습니다. 바르게 계산한 값을 구해 보세요.

($16\dfrac{17}{18}$)

❖ 어떤 수를 $\square$라 하면 $\square - 3\dfrac{1}{3} = 1\dfrac{3}{4}$이므로

$\square = 1\dfrac{3}{4} + 3\dfrac{1}{3} = 1\dfrac{9}{12} + 3\dfrac{4}{12} = 4\dfrac{13}{12} = 5\dfrac{1}{12}$입니다.

따라서 바르게 계산하면 $5\dfrac{1}{12} \times 3\dfrac{1}{3} = \dfrac{61}{\underset{6}{12}} \times \dfrac{\overset{5}{10}}{3} = \dfrac{305}{18} = 16\dfrac{17}{18}$입니다.

10 주영이는 피자 한 판의 $\dfrac{3}{8}$을 먹었고 동생은 주영이가 먹고 남은 피자의 $\dfrac{3}{10}$을 먹었습니다. 동생이 먹은 피자는 전체의 몇 분의 몇일까요?

($\dfrac{3}{16}$)

❖ 주영이가 먹고 남은 피자는 전체의 $1 - \dfrac{3}{8} = \dfrac{5}{8}$입니다.

따라서 동생이 먹은 피자는 전체의 $\dfrac{\overset{1}{5}}{8} \times \dfrac{3}{\underset{2}{10}} = \dfrac{3}{16}$입니다.

2
단원

11 어떤 정사각형의 가로를 $\dfrac{1}{4}$만큼 줄이고, 세로를 2배로 늘여 직사각형을 만들었습니다. 만든 직사각형의 넓이는 처음 정사각형의 넓이의 몇 배일까요?

($1\dfrac{1}{2}$배)

❖ 정사각형의 한 변의 길이를 1이라고 하면
(정사각형의 넓이) $= 1 \times 1 = 1$이고,

(직사각형의 넓이) $= \left(1 - \dfrac{1}{4}\right) \times (1 \times 2) = \dfrac{3}{\underset{2}{4}} \times \overset{1}{2} = \dfrac{3}{2} = 1\dfrac{1}{2}$입니다.

따라서 만든 직사각형의 넓이는 처음 정사각형의 넓이의 $1\dfrac{1}{2}$ 배입니다.

12 도형의 넓이는 몇 cm²인지 구해 보세요.

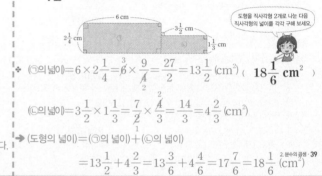

> 도형을 직사각형 2개로 나눈 다음 직사각형의 넓이를 각각 구해 보세요.

($18\dfrac{1}{6}$ cm²)

❖ (㉠의 넓이) $= 6 \times 2\dfrac{1}{4} = 6 \times \dfrac{9}{\underset{2}{4}} = \dfrac{27}{2} = 13\dfrac{1}{2}$ (cm²)

(㉡의 넓이) $= 3\dfrac{1}{2} \times 1\dfrac{1}{3} = \dfrac{7}{2} \times \dfrac{\overset{2}{4}}{3} = \dfrac{14}{3} = 4\dfrac{2}{3}$ (cm²)

➡ (도형의 넓이) = (㉠의 넓이) + (㉡의 넓이)

$= 13\dfrac{1}{2} + 4\dfrac{2}{3} = 13\dfrac{3}{6} + 4\dfrac{4}{6} = 17\dfrac{7}{6} = 18\dfrac{1}{6}$ (cm²)

정답과 풀이 11쪽

사고력 종합 평가

13 1분에 $2\dfrac{1}{4}$ km를 일정한 빠르기로 달리는 버스가 있습니다. 이 버스가 같은 빠르기로 5분 25초 동안 달린다면 몇 km를 갈 수 있는지 구해 보세요.

> 5분 25초 후에 휴게소에 도착합니다.
> 1분에 $2\dfrac{1}{4}$ km

($12\dfrac{3}{16}$ km)

❖ 5분 25초 $= 5\dfrac{25}{60}$분 $= 5\dfrac{5}{12}$분

➡ (버스가 5분 25초 동안 가는 거리)

$= 2\dfrac{1}{4} \times 5\dfrac{5}{12} = \dfrac{\overset{3}{9}}{4} \times \dfrac{65}{\underset{4}{12}} = \dfrac{195}{16} = 12\dfrac{3}{16}$ (km)

14 한 변의 길이가 $1\dfrac{1}{9}$ cm인 정사각형 모양의 타일 15장을 겹치지 않게 이어 붙였습니다. 타일을 붙인 부분의 넓이는 몇 cm²인지 구해 보세요.

❖ (타일 한 장의 넓이)

($18\dfrac{14}{27}$ cm²)

$= 1\dfrac{1}{9} \times 1\dfrac{1}{9} = \dfrac{10}{9} \times \dfrac{10}{9} = \dfrac{100}{81} = 1\dfrac{19}{81}$ (cm²)

➡ (타일을 붙인 부분의 넓이) = (타일 한 장의 넓이) × (타일 수)

$= 1\dfrac{19}{81} \times 15 = \dfrac{100}{\underset{27}{81}} \times \overset{5}{15} = \dfrac{500}{27} = 18\dfrac{14}{27}$ (cm²)

15 넓이가 200 m²인 밭이 있습니다. 이 밭 전체의 $\dfrac{1}{3}$에는 배추를 심고, 나머지 밭의 $\dfrac{5}{8}$에는 고구마를 심었습니다. 아무것도 심지 않은 밭의 넓이는 몇 m²인지 구해 보세요.

(50 m²)

❖ 배추를 심고 남은 밭은 전체의 $1 - \dfrac{1}{3} = \dfrac{2}{3}$이고, 고구마를 심고 남은 밭은 배추를 심고 남은 밭의 $1 - \dfrac{5}{8} = \dfrac{3}{8}$입니다.

따라서 아무것도 심지 않은 밭은 전체의 $\dfrac{2}{3} \times \dfrac{3}{8} = \dfrac{1}{4}$입니다.

➡ (아무것도 심지 않은 밭의 넓이) $= \overset{50}{200} \times \dfrac{1}{\underset{1}{4}} = 50$ (m²)

> [GO! 매쓰]
> 여기까지 2단원 내용입니다.
> 다음부터는 3단원 내용이
> 시작합니다.

정답과 풀이 11쪽

 유형 ① 합동인 도형 만들기 〔창의·융합〕

1 직사각형 모양의 종이를 잘라서 서로 합동인 도형을 만들려고 합니다. 어떻게 잘라야 할지 알맞게 선을 그어 보세요.

① 서로 합동인 도형 2개 만들기

예

✧ 그은 선을 따라 잘랐을 때 만들어지는 2조각의 모양과 크기가 모두 같아야 합니다.

② 서로 합동인 도형 4개 만들기

예

✧ 그은 선을 따라 잘랐을 때 만들어지는 4조각의 모양과 크기가 모두 같아야 합니다.

③ 서로 합동인 도형 8개 만들기

예

✧ 그은 선을 따라 잘랐을 때 만들어지는 8조각의 모양과 크기가 모두 같아야 합니다.

2 직각삼각형 모양의 종이를 잘라서 서로 합동인 삼각형 4개를 만들려고 합니다. 어떻게 잘라야 할지 알맞게 선을 그어 보세요.

예

✧ 그은 선을 따라 잘랐을 때 만들어지는 조각의 모양과 크기가 모두 같아야 합니다.

3 정삼각형 모양의 종이를 잘라서 서로 합동인 도형을 만들려고 합니다. 어떻게 잘라야 할지 알맞게 선을 그어 보세요.

(1) 서로 합동인 도형 2개 만들기   (2) 서로 합동인 도형 3개 만들기

예   예

(3) 서로 합동인 도형 4개 만들기   (4) 서로 합동인 도형 6개 만들기

✧ 그은 선을 따라 잘랐을 때 만들어지는 조각의 모양과 크기가 모두 같아야 합니다.

3 단원

정답과 풀이 11쪽

 유형 ② 대칭축의 수 〔창의·융합〕

1 선대칭인 국기를 찾아 대칭축의 수가 가장 많은 것은 어느 나라의 국기인지 알아보세요.

  [일본]
스웨덴   그리스   일본

① 스웨덴 국기가 선대칭이라면 대칭축을 모두 그어 보고, 몇 개인지 써 보세요.

(**1개**)

✧ 국기가 완전히 겹치도록 접을 수 있는 직선을 찾습니다.

② 그리스 국기가 선대칭이라면 대칭축을 모두 그어 보고, 몇 개인지 써 보세요.

(**0개**)

✧ 그리스 국기는 선대칭이 아니므로 대칭축이 없습니다.

③ 일본 국기가 선대칭이라면 대칭축을 모두 그어 보고, 몇 개인지 써 보세요.

(**2개**)

④ 대칭축의 수가 가장 많은 것은 어느 나라의 국기일까요?

(**일본**)

✧ 일본 국기의 대칭축이 2개로 가장 많습니다.

2 선대칭인 국기를 찾아 대칭축의 수가 가장 많은 것은 어느 나라의 국기인지 알아보세요.

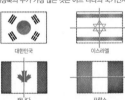
대한민국   이스라엘

캐나다   프랑스

(**이스라엘**)

✧ 대한민국 국기는 선대칭이 아닙니다.
대칭축의 수를 알아보면 이스라엘: 2개, 캐나다: 1개, 프랑스: 1개
이므로 이스라엘 국기의 대칭축의 수가 가장 많습니다.

3 선대칭인 국기를 찾아 대칭축의 수의 합을 구해 보세요.

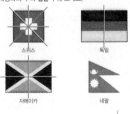
스위스   독일

자메이카   네팔

(**7개**)

✧ 네팔의 국기는 선대칭이 아닙니다.
대칭축의 수를 알아보면 스위스: 4개, 독일: 1개, 자메이카: 2개
이므로 $4+1+2=7$(개)입니다.

3 단원

유형 ③ 대칭인 글자 창의·융합

정답과 풀이 12쪽

1 선대칭도형도 되고 점대칭도형도 되는 알파벳을 모두 찾아 써 보세요.

BHMNOSZ

❶ 선대칭도형이 되는 알파벳을 모두 찾아 써 보세요.

(B, H, M, O)

✦ 한 직선을 따라 접었을 때 완전히 겹치는 알파벳은
B H M O 입니다.

❷ 점대칭도형이 되는 알파벳을 모두 찾아 써 보세요.

(H, N, O, S, Z)

✦ 어떤 점을 중심으로 180° 돌렸을 때 처음 알파벳과 완전히 겹치는 알파벳은 H N O S Z 입니다.

❸ 선대칭도형도 되고 점대칭도형도 되는 알파벳을 모두 찾아 써 보세요.

(H, O)

✦ ❶, ❷에 공통으로 들어간 알파벳은 H, O입니다.

46 · Jump 5-2

2 선대칭도형도 되고 점대칭도형도 되는 자음자를 모두 찾아 써 보세요.

ㄴ ㄹ ㅂ ㅇ ㅊ ㅍ ㅎ

(ㅇ, ㅍ)

✦ 선대칭도형: ㅂ ㅇ ㅊ ㅍ ㅎ
점대칭도형: ㄹ ㅇ ㅍ
따라서 선대칭도형도 되고 점대칭도형도 되는 자음자는 ㅇ, ㅍ입니다.

3 선대칭도형도 되고 점대칭도형도 되는 글자를 모두 찾아 써 보세요.

옹 믐 골 문 응

(믐, 응)

✦ 선대칭도형: 옹 믐 응 점대칭도형: 믐 응
따라서 선대칭도형도 되고 점대칭도형도 되는 글자는 믐, 응입니다.

4 선대칭도형도 되고 점대칭도형도 되는 모음자를 빈 곳에 써넣어 단어를 완성해 보세요.

ㅏ ㅑ ㅕ ㅣ ㅓ ㅐ ㅒ

ㅇ ㅐ ㄱ ㅣ

✦ 선대칭도형: ㅏ ㅑ ㅕ ㅣ ㅓ ㅐ ㅒ 점대칭도형: ㅣ ㅐ
따라서 선대칭도형도 되고 점대칭도형도 되는 모음자는 ㅣ, ㅐ입니다.
[참고] 얘기: '이야기(어떤 사물이나 사건, 현상에 대해서 일정한 내용을 가지고 하는 말)'의 준말.

3. 합동과 대칭 · 47

③ 단원

유형 ④ 점대칭도형의 둘레 문제 해결

정답과 풀이 12쪽

1 점 ㅅ을 대칭의 중심으로 하는 점대칭도형입니다. 도형의 둘레가 64 cm일 때, 변 ㄱㅂ은 몇 cm인지 구해 보세요.

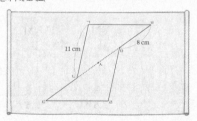

❶ 변 ㄹㅁ은 몇 cm일까요?

(11 cm)

✦ 변 ㄹㅁ의 대응변은 변 ㄱㄴ입니다.
➡ (변 ㄹㅁ)=(변 ㄱㄴ)=11 cm

❷ 변 ㄴㄷ은 몇 cm일까요?

(8 cm)

✦ 변 ㄴㄷ의 대응변은 변 ㅁㅂ입니다.
➡(변 ㄴㄷ)=(변 ㅁㅂ)=8 cm

❸ 변 ㄱㅂ은 몇 cm인지 구해 보세요.

(13 cm)

✦ (변 ㄱㅂ)+(변 ㄹㄷ)=64−(11+8)×2=26 (cm)이고,
변 ㄱㅂ과 변 ㄹㄷ은 대응변이므로 길이가 같습니다.
48 · Jump 5-2 ➡ (변 ㄱㅂ)=26÷2=13 (cm)

2 점 ㅅ을 대칭의 중심으로 하는 점대칭도형입니다. 도형의 둘레가 70 cm일 때, 변 ㄱㄴ은 몇 cm인지 구해 보세요.

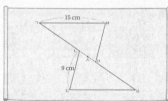

(11 cm)

✦ 변 ㄷㄹ의 대응변은 변 ㅂㄱ이므로
(변 ㄷㄹ)=(변 ㅂㄱ)=15 cm입니다.
변 ㅁㅂ의 대응변은 변 ㄴㄷ이므로 (변 ㅁㅂ)=(변 ㄴㄷ)=9 cm입니다.
(변 ㄱㄴ)+(변 ㄹㅁ)=70−(15+9)×2=22 (cm)이고, 변 ㄱㄴ과 변 ㄹㅁ은 대응변이므로 길이가 같습니다. ➡ (변 ㄱㄴ)=22÷2=11 (cm)

3 점 ㅅ을 대칭의 중심으로 하는 점대칭도형입니다. 삼각형 ㄱㄴㄷ의 둘레는 몇 cm인지 구해 보세요.

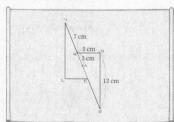

(30 cm)

✦ 변 ㄱㄴ의 대응변은 변 ㄹㅁ이므로 (변 ㄱㄴ)=(변 ㄹㅁ)=12 cm입니다.
변 ㄴㄷ의 대응변은 변 ㅁㅂ이므로 (변 ㄴㄷ)=(변 ㅁㅂ)=5 cm입니다.
대칭의 중심은 대응점끼리 이은 선분을 둘로 똑같이 나누므로
(선분 ㄷㅅ)=(선분 ㅂㅅ)=3 cm입니다.
➡ (삼각형 ㄱㄴㄷ의 둘레)=12+5+3+3+7=30 (cm)

3. 합동과 대칭 · 49

③ 단원

유형 5 데칼코마니로 만든 도형의 각 창의·융합

1 선분 ㅅㅇ을 접는 선으로 하여 데칼코마니로 만든 선대칭도형입니다. 각 ㄹㄷㅂ은 몇 도인지 구해 보세요.

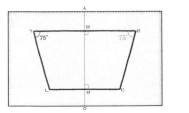

❶ 선분 ㄱㄹ과 선분 ㅅㅇ이 만나서 이루는 각은 몇 도일까요?

(**90°**)

✤ 선대칭도형에서 대응점끼리 이은 선분은 대칭축과 서로 수직으로 만납니다.

❷ 각 ㅁㄹㄷ은 몇 도일까요?

(**75°**)

✤ 각 ㅁㄹㄷ의 대응각은 각 ㅁㄱㄴ입니다.
➡ (각 ㅁㄹㄷ)=(각 ㅁㄱㄴ)=75°

❸ 각 ㄹㄷㅂ은 몇 도인지 구해 보세요.

(**105°**)

✤ 사각형 ㅁㅂㄷㄹ에서 네 각의 크기의 합은 360°입니다.
➡ (각 ㄹㄷㅂ)=360°−90°−90°−75°=105°

50 · Jump 5-2

2 선분 ㅅㅇ을 접는 선으로 하여 데칼코마니로 만든 선대칭도형입니다. 각 ㄱㄴㅂ은 몇 도인지 구해 보세요.

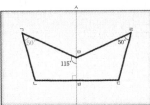

(**105°**)

✤ 각 ㄴㄱㅁ의 대응각은 각 ㄷㄹㅁ이므로
(각 ㄴㄱㅁ)=(각 ㄷㄹㅁ)=50°입니다.
대응점끼리 이은 선분은 대칭축과 서로 수직으로 만나므로
(각 ㄴㅂㅁ)=90°입니다.
사각형 ㄱㄴㅂㅁ에서 네 각의 크기의 합은 360°이므로
(각 ㄱㄴㅂ)=360°−50°−90°−115°=105°입니다.

3 선분 ㅅㅇ을 접는 선으로 하여 데칼코마니로 만든 선대칭도형입니다. 각 ㄴㄱㅁ은 몇 도인지 구해 보세요.

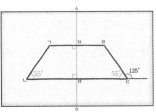

(**125°**)

✤ 일직선이 이루는 각의 크기는 180°이므로
(각 ㄹㄷㅂ)=180°−125°=55°입니다.
각 ㄱㄴㅂ의 대응각은 각 ㄹㄷㅂ이므로 (각 ㄱㄴㅂ)=(각 ㄹㄷㅂ)=55°입니다.
대응점끼리 이은 선분은 대칭축과 서로 수직으로 만나므로
(각 ㄱㅁㅂ)=(각 ㄴㅂㅁ)=90°입니다.
사각형 ㄱㄴㅂㅁ에서 네 각의 크기의 합은 360°이므로
(각 ㄴㄱㅁ)=360°−55°−90°−90°=125°입니다.

3. 합동과 대칭 · 51

유형 6 종이접기에서 합동 찾기 창의·융합

1 정사각형 모양의 종이를 다음과 같이 접었습니다. ㉠은 몇 도인지 구해 보세요.

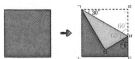

❶ ☐ 안에 알맞은 말을 써넣으세요.

삼각형 ㄱㅂㄹ은 삼각형 [**ㄱㅂㅁ**] 과 서로 합동입니다.

✤ 모양과 크기가 같아서 포개었을 때 완전히 겹치는 두 도형을 서로 합동이라고 합니다.

❷ 각 ㄱㅂㅁ은 몇 도일까요?

(**60°**)

✤ 각 ㄱㅂㅁ의 대응각은 각 ㄱㅂㄹ이고 삼각형 ㄱㅂㄹ에서 세 각의 크기의 합은 180°이므로
(각 ㄱㅂㄹ)=180°−30°−90°=60°이고
(각 ㄱㅂㅁ)=(각 ㄱㅂㄹ)=60°입니다.

❸ ㉠은 몇 도인지 구해 보세요.

(**60°**)

✤ 일직선이 이루는 각의 크기는 180°이므로
㉠=180°−60°−60°=60°입니다.

52 · Jump 5-2

2 직사각형 모양의 종이를 다음과 같이 접었습니다. ㉠은 몇 도인지 구해 보세요.

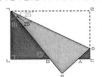

(**50°**)

✤ 삼각형 ㄱㅇㄹ과 삼각형 ㄱㅇㅂ은 서로 합동입니다.
각 ㄹㄱㅇ의 대응각은 각 ㅂㄱㅇ이므로
(각 ㄹㄱㅇ)=(각 ㅂㄱㅇ)=25°입니다.
(각 ㄴㄱㅁ)=90°−25°−25°=40°
➡ 삼각형 ㄱㄴㅁ에서 세 각의 크기의 합은 180°이므로
㉠=180°−40°−90°=50°입니다.

3 삼각형 모양의 종이를 다음과 같이 접었습니다. ㉠은 몇 도인지 구해 보세요.

(**79°**)

✤ 삼각형 ㄱㄹㅂ과 삼각형 ㅁㄹㅂ은 서로 합동입니다.
각 ㄱㄹㅂ의 대응각은 각 ㅁㄹㅂ이고 일직선이 이루는 각의 크기는 180°이므로
(각 ㄱㄹㅂ)=(각 ㅁㄹㅂ)=(180°−54°)÷2=63°입니다.
➡ 삼각형 ㄱㄹㅂ에서 세 각의 크기의 합은 180°이므로
㉠=180°−38°−63°=79°입니다.

3. 합동과 대칭 · 53

사고력 종합 평가

1 도형 가와 도형 나가 서로 합동이 되도록 만들려고 합니다. 도형 나의 한 꼭짓점을 옮겨 합동을 만들어 보세요.

 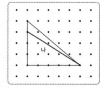

❖ 왼쪽 도형과 포개었을 때 완전히 겹치도록 꼭짓점을 옮깁니다.

2 점대칭인 것은 어느 나라 국기인지 써 보세요.

나이지리아　　방글라데시　　핀란드

(**나이지리아**)

❖ 한 점을 중심으로 180° 돌렸을 때 처음 도형과 완전히 겹치는 도형을 점대칭도형이라고 합니다.

3 두 삼각형은 서로 합동인 이등변삼각형입니다. 삼각형 ㄱㄴㄷ의 둘레가 21 cm일 때, 변 ㄹㅁ은 몇 cm인지 구해 보세요.

(**8 cm**)

❖ (변 ㄱㄷ)=(21−5)÷2=8 (cm)
변 ㄹㅁ의 대응변은 변 ㄷㄱ이므로
(변 ㄹㅁ)=(변 ㄷㄱ)=8 cm입니다.

4 빨간색 선을 대칭축으로 하는 선대칭도형을 완성하고 만들어지는 단어를 써 보세요.

(1) 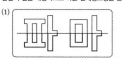　(2)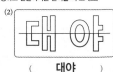

(**파마**)　　　　(**대야**)

❖ 직선을 따라 접었을 때 완전히 겹치도록 그립니다.

5 직선 ㄱㄴ을 대칭축으로 하는 선대칭도형을 각각 완성해 보고, 완성된 모양이 점대칭도형인 것에 모두 ○표 하세요.

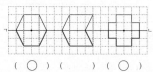

(○)　(　)　(○)

❖ 대응점을 찾아 표시한 후 차례로 이어 선대칭도형이 되도록 그립니다.

6 선대칭도형도 되고 점대칭도형도 되는 숫자를 한 번씩만 사용하여 수를 만들려고 합니다. 만들 수 있는 가장 큰 수를 써 보세요.

(**81**)

❖ 선대칭도형이 되는 숫자: 1, 8
점대칭도형이 되는 숫자: 1, 8, 5
선대칭도형도 되고 점대칭도형도 되는 숫자는 1, 8이므로 만들 수 있는 가장 큰 수는 81입니다.

3 단원

사고력 종합 평가

❖ 각 ㄴㄱㄹ의 대응각은 각 ㄷㄱㄹ이므로
(각 ㄷㄱㄹ)=(각 ㄴㄱㄹ)=60°입니다.
대응점끼리 이은 선분은 대칭축과 서로 수직으로 만나므로
(각 ㄱㄹㄷ)=90°입니다.
➡ (각 ㄱㄷㄹ)=180°−60°−90°=30°

7 직선 ㅁㅂ을 대칭축으로 하는 선대칭도형입니다. 각 ㄱㄷㄹ은 몇 도인지 구해 보세요.

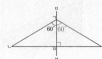

(**30°**)

8 선분 ㅅㅇ을 접는 선으로 하여 데칼코마니로 그린 선대칭도형입니다. 각 ㄹㄷㅂ은 몇 도인지 구해 보세요.

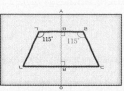

❖ 각 ㄷㄹㅁ의 대응각은
각 ㄴㄱㅁ이므로
(각 ㄷㄹㅁ)=(각 ㄴㄱㅁ)
=115°입니다.
대응점끼리 이은 선분은
대칭축과 서로 수직으로
만나므로 (각 ㄹㅁㅂ)=(각 ㅁㅂㄷ)=90°입니다.

(**65°**)

➡ 사각형 ㅁㅂㄷㄹ에서 네 각의 크기의 합은 360°이므로
(각 ㄹㄷㅂ)=360°−90°−90°−115°=65°입니다.

9 다음과 같이 직사각형 모양의 종이를 접었습니다. ㉠은 몇 도인지 구해 보세요.

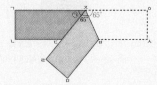

(**50°**)

❖ 사각형 ㅈㅂㅅㅇ과 사각형 ㅈㅂㅁㄹ은 서로 합동입니다.
각 ㅂㅈㅇ의 대응각은 각 ㅂㅈㄹ이므로
(각 ㅂㅈㅇ)=(각 ㅂㅈㄹ)=65°입니다.
➡ ㉠=180°−65°−65°=50°

❖ 각 ㄹㅁㅂ의 대응각은 각 ㄱㄴㄷ이므로
(각 ㄹㅁㅂ)=(각 ㄱㄴㄷ)=70°입니다.
각 ㄹㄷㅂ의 대응각은 각 ㄱㅂㄷ이므로 (각 ㄹㄷㅂ)=(각 ㄱㅂㄷ)=130°입니다.

10 점 ㅅ을 대칭의 중심으로 하는 점대칭도형입니다. 각 ㅁㅂㄷ은 몇 도인지 구해 보세요.

(**110°**)

➡ 사각형 ㅂㄷㄹㅁ에서 네 각의 크기의 합은 360° 이므로 (각 ㅁㅂㄷ)=360°−130°−50°−70°=110°입니다.

11 직선 가를 대칭축으로 하는 선대칭도형을 그린 다음, 만들어진 도형을 직선 나를 대칭축으로 하는 선대칭도형으로 완성해 보세요.

❖ 대응점을 찾아 표시한 후 차례로 이어 선대칭도형이 되도록 그립니다.

12 점 ㅇ을 대칭의 중심으로 하는 점대칭도형을 완성하고, 완성한 점대칭도형의 넓이는 몇 cm²인지 구해 보세요.

(**156 cm²**)

❖ 모눈 한 칸의 크기가 2 cm이므로
(선분 ㄱㄹ)=2×5=10 (cm), (선분 ㅁㄷ)=2×8=16 (cm)입니다.
사각형 ㄱㅁㄷㄹ은 사다리꼴이므로 넓이는
(10+16)×6÷2=78 (cm²)입니다.
➡ (점대칭도형의 넓이)=78×2=156 (cm²)

3 단원

정답과 풀이 15쪽

13 삼각형 ㄱㄴㄷ과 삼각형 ㄹㅁㄷ은 서로 합동입니다. 선분 ㄴㄹ은 몇 cm인지 구해 보세요.

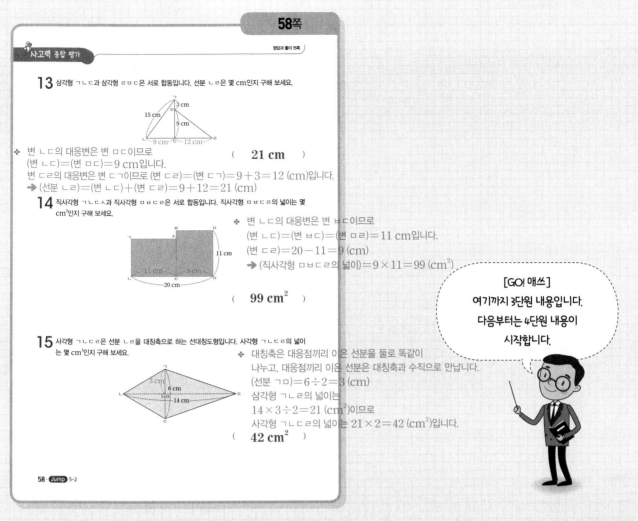

❖ 변 ㄴㄷ의 대응변은 변 ㅁㄷ이므로
(변 ㄴㄷ)=(변 ㅁㄷ)=9 cm입니다.   (**21 cm**)
변 ㄷㄹ의 대응변은 변 ㄷㄱ이므로 (변 ㄷㄹ)=(변 ㄷㄱ)=9+3=12 (cm)입니다.
➔ (선분 ㄴㄹ)=(변 ㄴㄷ)+(변 ㄷㄹ)=9+12=21 (cm)

14 직사각형 ㄱㄴㄷㅅ과 직사각형 ㅁㅂㄷㄹ은 서로 합동입니다. 직사각형 ㅁㅂㄷㄹ의 넓이는 몇 cm²인지 구해 보세요.

❖ 변 ㄴㄷ의 대응변은 변 ㅂㄷ이므로
(변 ㄴㄷ)=(변 ㅂㄷ)=(변 ㅁㄹ)=11 cm입니다.
(변 ㄷㄹ)=20−11=9 (cm)
➔ (직사각형 ㅁㅂㄷㄹ의 넓이)=9×11=99 (cm²)

(**99 cm²**)

15 사각형 ㄱㄴㄷㄹ은 선분 ㄴㄹ을 대칭축으로 하는 선대칭도형입니다. 사각형 ㄱㄴㄷㄹ의 넓이는 몇 cm²인지 구해 보세요.

❖ 대칭축은 대응점끼리 이은 선분을 둘로 똑같이
나누고, 대응점끼리 이은 선분은 대칭축과 수직으로 만납니다.
(선분 ㄱㅁ)=6÷2=3 (cm)
삼각형 ㄱㄴㄹ의 넓이는
14×3÷2=21 (cm²)이므로
사각형 ㄱㄴㄷㄹ의 넓이는 21×2=42 (cm²)입니다.

(**42 cm²**)

[GO! 매쓰]
여기까지 3단원 내용입니다.
다음부터는 4단원 내용이
시작합니다.

정답과 풀이 15쪽

유형 ① **바르게 계산하기**   〔문제 해결〕

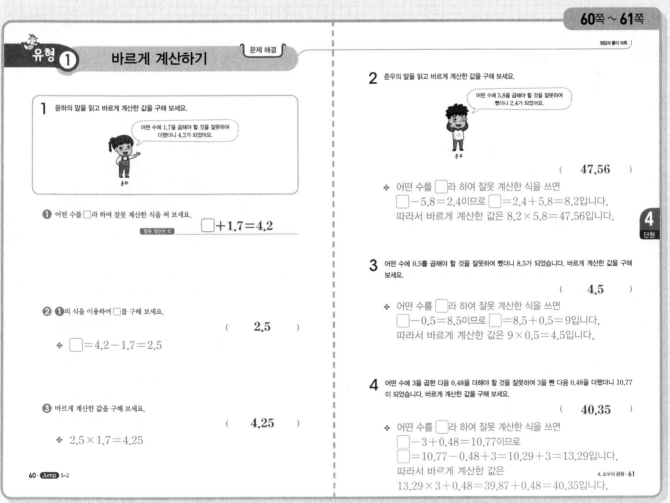

1 윤하의 말을 읽고 바르게 계산한 값을 구해 보세요.

어떤 수에 1.7을 곱해야 할 것을 잘못하여 더했더니 4.2가 되었어요.

윤하

❶ 어떤 수를 □라 하여 잘못 계산한 식을 써 보세요.
〔잘못 계산한 식〕   □+1.7=4.2

❷ ❶의 식을 이용하여 □를 구해 보세요.
(**2.5**)
❖ □=4.2−1.7=2.5

❸ 바르게 계산한 값을 구해 보세요.
(**4.25**)
❖ 2.5×1.7=4.25

2 준우의 말을 읽고 바르게 계산한 값을 구해 보세요.

어떤 수에 5.8을 곱해야 할 것을 잘못하여 뺐더니 2.4가 되었어요.

준우

(**47.56**)

❖ 어떤 수를 □라 하여 잘못 계산한 식을 쓰면
□−5.8=2.4이므로 □=2.4+5.8=8.2입니다.
따라서 바르게 계산한 값은 8.2×5.8=47.56입니다.

3 어떤 수에 0.5를 곱해야 할 것을 잘못하여 뺐더니 8.5가 되었습니다. 바르게 계산한 값을 구해 보세요.
(**4.5**)

❖ 어떤 수를 □라 하여 잘못 계산한 식을 쓰면
□−0.5=8.5이므로 □=8.5+0.5=9입니다.
따라서 바르게 계산한 값은 9×0.5=4.5입니다.

4 어떤 수에 3을 곱한 다음 0.48을 더해야 할 것을 잘못하여 3을 뺀 다음 0.48을 더했더니 10.77이 되었습니다. 바르게 계산한 값을 구해 보세요.
(**40.35**)

❖ 어떤 수를 □라 하여 잘못 계산한 식을 쓰면
□−3+0.48=10.77이므로
□=10.77−0.48+3=10.29+3=13.29입니다.
따라서 바르게 계산한 값은
13.29×3+0.48=39.87+0.48=40.35입니다.

4
단원

유형 ② 정다각형의 둘레 〔문제 해결〕

정답과 풀이 16쪽

1 정오각형과 정육각형입니다. 두 도형의 둘레의 합은 몇 cm인지 구해 보세요.

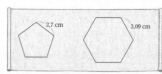

❶ 정오각형의 둘레는 몇 cm인지 구해 보세요.

(**13.5 cm**)

✧ $2.7 \times 5 = 13.5$ (cm)

❷ 정육각형의 둘레는 몇 cm인지 구해 보세요.

(**18.54 cm**)

✧ $3.09 \times 6 = 18.54$ (cm)

❸ 두 도형의 둘레의 합은 몇 cm인지 구해 보세요.

(**32.04 cm**)

✧ $13.5 + 18.54 = 32.04$ (cm)

62 · Jump 5-2

2 정삼각형과 정오각형입니다. 두 도형의 둘레의 합은 몇 cm인지 구해 보세요.

정다각형의 둘레는 한 변의 길이와 변의 수의 곱으로 구할 수 있어요.

(**56.86 cm**)

✧ (정삼각형의 둘레)$=8.12 \times 3 = 24.36$ (cm)
　(정오각형의 둘레)$=6.5 \times 5 = 32.5$ (cm)
→ $24.36 + 32.5 = 56.86$ (cm)

3 정육각형과 정사각형입니다. 두 도형의 둘레의 차는 몇 m인지 구해 보세요.

(**0.74 m**)

✧ (정육각형의 둘레)$=0.59 \times 6 = 3.54$ (m)
　(정사각형의 둘레)$=0.7 \times 4 = 2.8$ (m)
→ $3.54 - 2.8 = 0.74$ (m)

4 정오각형과 정육각형입니다. 두 도형의 둘레의 합과 차는 각각 몇 cm인지 구해 보세요.

합 (**31.36 cm**), 차 (**0.64 cm**)

✧ (정오각형의 둘레)$=3.2 \times 5 = 16$ (cm)
　(정육각형의 둘레)$=2.56 \times 6 = 15.36$ (cm)
→ (합)$=16 + 15.36 = 31.36$ (cm)
　(차)$=16 - 15.36 = 0.64$ (cm)

4. 소수의 곱셈 · 63

유형 ③ 사다리 타기 〔추론〕

정답과 풀이 16쪽

1 사다리 타기와 같은 방법으로 선을 따라 갔을 때 마지막으로 만나는 빈 곳에 알맞은 수를 써넣으세요.

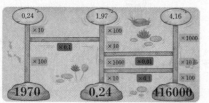

❶ 0.24부터 선을 따라 갔을 때의 계산 순서입니다. □ 안에 알맞은 수를 써넣으세요.

$0.24 \xrightarrow{\times 10} \boxed{2.4} \xrightarrow{\times 0.1} \boxed{0.24} \xrightarrow{\times 10} \boxed{2.4}$
$\xrightarrow{\times 0.01} \boxed{0.024} \xrightarrow{\times 10} \boxed{0.24} \xrightarrow{\times 0.1} \boxed{0.024} \xrightarrow{\times 10} \boxed{0.24}$

❷ 1.97부터 선을 따라 갔을 때의 계산 순서입니다. □ 안에 알맞은 수를 써넣으세요.

$1.97 \xrightarrow{\times 100} \boxed{197} \xrightarrow{\times 0.1} \boxed{19.7} \xrightarrow{\times 100} \boxed{1970}$

❸ 4.16부터 선을 따라 갔을 때의 계산 순서입니다. □ 안에 알맞은 수를 써넣으세요.

$4.16 \xrightarrow{\times 1000} \boxed{4160} \xrightarrow{\times 0.01} \boxed{41.6} \xrightarrow{\times 1000} \boxed{41600}$
$\xrightarrow{\times 0.1} \boxed{4160} \xrightarrow{\times 100} \boxed{416000}$

❹ 선을 따라 갔을 때 마지막으로 만나는 빈 곳에 알맞은 수를 각각 써넣으세요.

64 · Jump 5-2

2 사다리 타기와 같은 방법으로 선을 따라 갔을 때 마지막으로 만나는 빈 곳에 알맞은 수를 써넣으세요.

✧ $5.08 \xrightarrow{\times 10} 50.8 \xrightarrow{\times 0.01} 0.508 \xrightarrow{\times 10} 5.08 \xrightarrow{\times 0.1} 0.508 \xrightarrow{\times 10} 5.08$
$9.33 \xrightarrow{\times 100} 933 \xrightarrow{\times 0.01} 9.33 \xrightarrow{\times 100} 933 \xrightarrow{\times 0.001} 0.933 \xrightarrow{\times 100} 93.3$
$2.71 \xrightarrow{\times 1000} 2710 \xrightarrow{\times 0.1} 271 \xrightarrow{\times 10} 2710 \xrightarrow{\times 0.001} 2.710 \xrightarrow{\times 10} 27.1$

3 사다리 타기와 같은 방법으로 선을 따라 갔을 때 마지막으로 만나는 빈 곳에 알맞은 수를 써넣으세요.

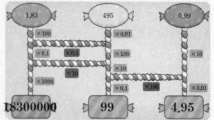

✧ $1.83 \xrightarrow{\times 100} 183 \xrightarrow{\times 0.1} 18.3 \xrightarrow{\times 100} 1830 \xrightarrow{\times 10} 18300 \xrightarrow{\times 1000} 18300000$
$495 \xrightarrow{\times 0.01} 4.95 \xrightarrow{\times 0.1} 0.495 \xrightarrow{\times 0.1} 0.0495$
$\xrightarrow{\times 10} 0.495 \xrightarrow{\times 10} 4.95 \xrightarrow{\times 100} 495 \xrightarrow{\times 0.01} 4.95$
$0.99 \xrightarrow{\times 10} 9.9 \xrightarrow{\times 100} 990 \xrightarrow{\times 0.1} 99$

4. 소수의 곱셈 · 65

유형 ④ 새로운 화단의 넓이　　문제 해결

1 한 변의 길이가 5 m인 정사각형 모양의 화단이 있습니다. 화단의 가로는 1.8배로 늘리고, 세로는 0.7배로 줄여서 새로운 화단을 만들려고 합니다. 새로운 화단의 넓이는 몇 m²인지 구해 보세요.

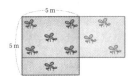

❶ 새로운 화단의 가로는 몇 m인지 구해 보세요.

(**9 m**)

❖ $5 \times 1.8 = 9\,(m)$

❷ 새로운 화단의 세로는 몇 m인지 구해 보세요.

(**3.5 m**)

❖ $5 \times 0.7 = 3.5\,(m)$

❸ 새로운 화단의 넓이는 몇 m²인지 구해 보세요.

(**31.5 m²**)

❖ 새로운 화단의 가로는 9 m이고, 세로는 3.5 m이므로 넓이는 $9 \times 3.5 = 31.5\,(m^2)$입니다.

정답과 풀이 17쪽

2 한 변의 길이가 6 m인 정사각형 모양의 화단이 있습니다. 화단의 가로는 2.5배로 늘리고, 세로는 0.9배로 줄여서 새로운 화단을 만들려고 합니다. 새로운 화단의 넓이는 몇 m²인지 구해 보세요.

(**81 m²**)

❖ 새로운 화단의 가로는 $6 \times 2.5 = 15\,(m)$이고, 세로는 $6 \times 0.9 = 5.4\,(m)$입니다.
→ (넓이)$= 15 \times 5.4 = 81\,(m^2)$

3 한 변의 길이가 8 m인 정사각형 모양의 화단이 있습니다. 화단의 가로는 3.06배로 늘리고, 세로는 0.5배로 줄여서 새로운 화단을 만들려고 합니다. 새로운 화단의 넓이는 몇 m²인지 구해 보세요.

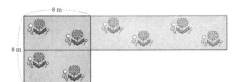

(**97.92 m²**)

❖ 새로운 화단의 가로는 $8 \times 3.06 = 24.48\,(m)$이고, 세로는 $8 \times 0.5 = 4\,(m)$입니다.
→ (넓이)$= 24.48 \times 4 = 97.92\,(m^2)$

4 단원

유형 ⑤ 곱이 가장 큰(작은) 곱셈식　　추론

1 4장의 수 카드를 한 번씩만 사용하여 다음과 같은 곱셈식을 만들려고 합니다. 곱이 가장 큰 곱셈식을 만들고 계산해 보세요.

→ □.□ × □.□

❶ 알맞은 말에 ○표 하세요.
곱하는 두 소수의 자연수 부분이 (작을수록 , (클수록)) 곱이 커집니다.

❷ 곱하는 두 소수의 자연수 부분이 될 수 있는 수를 모두 써 보세요.

(**8, 7**)

❖ 8 > 7 > 5 > 3이므로 가장 큰 수와 두 번째로 큰 수가 자연수 부분에 올 수 있으므로 자연수 부분에 8, 7을 써야 합니다.

❸ 빈 곳에 알맞은 수를 써넣어 곱이 가장 큰 곱셈식을 완성해 보세요.
8.3 × 7.5 (또는 7.5 × 8.3)

❖ 자연수 부분에 8, 7을 써넣으면 만들 수 있는 식은 8.5×7.3, 8.3×7.5입니다.
$8.5 \times 7.3 = 62.05$, $8.3 \times 7.5 = 62.25$

❹ ❸에서 만든 식을 계산해 보세요.

(**62.25**)

정답과 풀이 17쪽

2 4장의 수 카드를 한 번씩만 사용하여 다음과 같은 곱셈식을 만들려고 합니다. 곱이 가장 큰 곱셈식을 만들고 계산해 보세요.

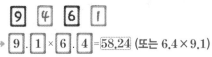

→ 9.1 × 6.4 = **58.24** (또는 6.4 × 9.1)

❖ 9 > 6 > 4 > 1이므로 자연수 부분에 9와 6을 사용합니다.
9.4×6.1 또는 9.1×6.4이므로 계산해 보면
$9.4 \times 6.1 = 57.34$, $9.1 \times 6.4 = 58.24$입니다.

3 4장의 수 카드를 한 번씩만 사용하여 다음과 같은 곱셈식을 만들려고 합니다. 곱이 가장 큰 곱셈식을 만들고 계산해 보세요.

2 5 3 9

→ 9.2 × 5.3 = **48.76** (또는 5.3 × 9.2)

❖ 9 > 5 > 3 > 2이므로 자연수 부분에 9와 5를 사용합니다.
9.3×5.2 또는 9.2×5.3이므로 계산해 보면
$9.3 \times 5.2 = 48.36$, $9.2 \times 5.3 = 48.76$입니다.

4 4장의 수 카드를 한 번씩만 사용하여 다음과 같은 곱셈식을 만들려고 합니다. 곱이 가장 작은 곱셈식을 만들고 계산해 보세요.

→ 0.6 × 1.8 = **1.08** (또는 1.8 × 0.6)

❖ 0 < 1 < 6 < 8이므로 자연수 부분에 0과 1을 사용합니다.
0.6×1.8 또는 0.8×1.6이므로 계산해 보면
$0.6 \times 1.8 = 1.08$, $0.8 \times 1.6 = 1.28$입니다.

4 단원

정답과 풀이 18쪽

유형 ⑥ 여러 가지 도형의 넓이 문제 해결

1 색칠한 부분의 넓이는 몇 cm²인지 구해 보세요.

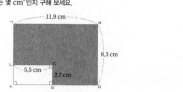

❶ 직사각형 ㄱㅅㅁㅂ의 넓이는 몇 cm²일까요?

(**98.77 cm²**)

✧ (직사각형 ㄱㅅㅁㅂ의 넓이)
= $11.9 \times 8.3 = 98.77 \,(\text{cm}^2)$

❷ 직사각형 ㄴㅅㄹㄷ의 넓이는 몇 cm²일까요?

(**14.85 cm²**)

✧ (직사각형 ㄴㅅㄹㄷ의 넓이)
= $5.5 \times 2.7 = 14.85 \,(\text{cm}^2)$

❸ 색칠한 부분의 넓이는 몇 cm²인지 구해 보세요.

(**83.92 cm²**)

✧ (색칠한 부분의 넓이)
= $98.77 - 14.85 = 83.92 \,(\text{cm}^2)$

2 색칠한 부분의 넓이는 몇 m²인지 구해 보세요.

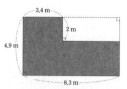

(**30.87 m²**)

✧ 가로가 8.3 m, 세로가 4.9 m인 직사각형의 넓이에서 가로가
$8.3 - 3.4 = 4.9 \,(\text{m})$, 세로가 2 m인 직사각형의 넓이를 뺍니다.
(색칠한 부분의 넓이)
= $8.3 \times 4.9 - 4.9 \times 2$
= $40.67 - 9.8 = 30.87 \,(\text{m}^2)$

3 도형의 넓이는 몇 cm²인지 구해 보세요.

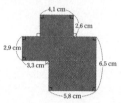

(**57.93 cm²**)

✧ (㉠의 넓이) = $4.1 \times 2.6 = 10.66 \,(\text{cm}^2)$
(㉡의 넓이) = $(3.3 + 5.8) \times 2.9 = 26.39 \,(\text{cm}^2)$
(㉢의 넓이) = $5.8 \times (6.5 - 2.9) = 20.88 \,(\text{cm}^2)$
➡ (도형의 넓이) = $10.66 + 26.39 + 20.88 = 57.93 \,(\text{cm}^2)$

4
단원

정답과 풀이 18쪽

사고력 종합 평가

1 가장 큰 수와 가장 작은 수의 곱을 구해 보세요.

| 7.2 | 3.86 | 1.9 | 0.47 | 4.6 |

(**3.384**)

✧ 7.2 > 4.6 > 3.86 > 1.9 > 0.47이므로
$7.2 \times 0.47 = 3.384$입니다.

2 정삼각형과 정사각형입니다. 두 도형의 둘레의 합은 몇 cm인지 구해 보세요.

(**71.12 cm**)

✧ (정삼각형의 둘레) = $9.2 \times 3 = 27.6 \,(\text{cm})$
(정사각형의 둘레) = $10.88 \times 4 = 43.52 \,(\text{cm})$
➡ $27.6 + 43.52 = 71.12 \,(\text{cm})$

3 어떤 수에 2.5를 곱해야 할 것을 잘못하여 2.5를 더했더니 8.2가 되었습니다. 바르게 계산한 값은 얼마인지 구해 보세요.

(**14.25**)

✧ 어떤 수를 ☐라 하면 잘못 계산한 식은
☐ + 2.5 = 8.2이므로 ☐ = 8.2 - 2.5 = 5.7입니다.
따라서 바르게 계산한 값은 $5.7 \times 2.5 = 14.25$입니다.

4 57 × 12 = 684임을 이용하여 ㉠은 ㉡의 몇 배인지 구해 보세요.

| ㉠ 5.7 × 0.12 | ㉡ 0.57 × 0.12 |

(**10배**)

✧ ㉠ $5.7 \times 0.12 = 0.684$, ㉡ $0.57 \times 0.12 = 0.0684$
➡ ㉠ 0.684는 ㉡ 0.0684의 10배입니다.

5 길이가 50 cm인 철사를 사용하여 다음과 같이 정사각형 2개를 겹치는 부분 없이 만들었습니다. 만들고 남은 철사는 몇 cm인지 구해 보세요.

(**12.56 cm**)

✧ 두 정사각형의 둘레는 각각 $4.1 \times 4 = 16.4 \,(\text{cm})$,
$5.26 \times 4 = 21.04 \,(\text{cm})$입니다.
따라서 만들고 남은 철사는
$50 - 16.4 - 21.04 = 12.56 \,(\text{cm})$입니다.

6 같은 모양은 같은 수를 나타냅니다. ▲ + ■ + ● 의 값을 구해 보세요.

- ▲는 26의 0.5배입니다.
- ■는 ▲의 1.5배입니다.
- ●는 ▲와 ■의 곱입니다.

(**286**)

✧ ▲ = $26 \times 0.5 = 13$, ■ = ▲ × 1.5 = $13 \times 1.5 = 19.5$,
● = ▲ × ■ = $13 \times 19.5 = 253.5$
➡ $13 + 19.5 + 253.5 = 286$

4
단원

$\clubsuit$ $9.93 \xrightarrow{\times 100} 993 \xrightarrow{\times 0.1} 99.3 \xrightarrow{\times 0.01} 0.993$

$0.81 \xrightarrow{\times 10} 8.1 \xrightarrow{\times 0.01} 0.081 \xrightarrow{\times 1000} 81$

$204 \xrightarrow{\times 0.1} 20.4 \xrightarrow{\times 0.01} 0.204 \xrightarrow{\times 0.1} 0.0204 \xrightarrow{\times 0.1} 0.00204 \xrightarrow{\times 10} 0.0204$

사고력 종합 평가

정답과 풀이 19쪽

7 4장의 수 카드를 한 번씩만 사용하여 다음과 같은 곱셈식을 만들려고 합니다. 곱이 가장 큰 곱셈식을 만들고 계산해 보세요.

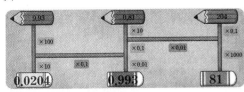

→ $\boxed{9}.\boxed{2} \times \boxed{7}.\boxed{6} = \boxed{69.92}$ (또는 7.6×9.2)

$\clubsuit$ $9 > 7 > 6 > 2$이므로 자연수 부분에 9와 7을 사용합니다.
9.6×7.2 또는 9.2×7.6이므로 계산해 보면
$9.6 \times 7.2 = 69.12$, $9.2 \times 7.6 = 69.92$입니다.

8 사다리 타기와 같은 방법으로 선을 따라 갔을 때 마지막에 만나는 빈곳에 알맞은 수를 써넣으세요.

9 가로가 6.2 cm이고, 세로가 5 cm인 직사각형이 있습니다. 직사각형의 가로는 3배로 늘리고, 세로는 0.84배로 줄여서 새로운 직사각형을 만들려고 합니다. 새로운 직사각형의 넓이는 몇 cm²인지 구해 보세요.

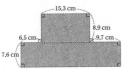

(**78.12 cm²**)

$\clubsuit$ 새로운 직사각형의 가로는 $6.2 \times 3 = 18.6$ (cm)이고,

74 · Jump 5-2 세로는 $5 \times 0.84 = 4.2$ (cm)입니다.

→ (넓이)$= 18.6 \times 4.2 = 78.12$ (cm²)

10 한 변의 길이가 4 cm인 정사각형이 있습니다. 정사각형의 가로는 1.5배로 늘리고, 세로는 2.05배로 늘려서 새로운 직사각형을 만들었습니다. 늘어난 부분의 넓이는 몇 cm²인지 구해 보세요.

(**33.2 cm²**)

$\clubsuit$ 새로운 직사각형의 가로는
$4 \times 1.5 = 6$ (cm)이고, 세로는 $4 \times 2.05 = 8.2$ (cm)입니다.
→ (늘어난 부분의 넓이)$= 6 \times 8.2 - 4 \times 4$
  $= 49.2 - 16 = 33.2$ (cm²)

11 가♥나=(가+나)×(가−나)로 약속할 때 다음을 계산해 보세요.

(**38.15**)

$\clubsuit$ 가♥나$=(7.2 + 3.7) \times (7.2 - 3.7)$
  $= 10.9 \times 3.5 = 38.15$

12 길이가 5.3 cm인 색 테이프 8개를 1.6 cm씩 겹쳐서 이어 붙였습니다. 이어 붙인 색 테이프의 전체 길이는 몇 cm인지 구해 보세요.

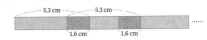

$\clubsuit$ (색 테이프 8개의 길이의 합)$= 5.3 \times 8$ (**31.2 cm**)
  $= 42.4$ (cm)

(겹쳐진 부분의 길이의 합)$= 1.6 \times 7 = 11.2$ (cm)   4. 소수의 곱셈 · 75

→ (이어 붙인 색 테이프의 전체 길이)$= 42.4 - 11.2 = 31.2$ (cm)

사고력 종합 평가

정답과 풀이 19쪽

13 □ 안에 들어갈 수 있는 자연수를 모두 구해 보세요.

$0.8 \times 19 < \boxed{} < 3.26 \times 6$

(**16, 17, 18, 19**)

$\clubsuit$ $0.8 \times 19 = 15.2$, $3.26 \times 6 = 19.56$
→ $15.2 < \boxed{} < 19.56$이므로 □ 안에 들어갈 수 있는 자연수는
16, 17, 18, 19입니다.

14 도형의 넓이는 몇 cm²인지 구해 보세요.

(**375.57 cm²**)

$\clubsuit$ (㉠의 넓이)$= 15.3 \times 8.9 = 136.17$ (cm²)
(㉡의 넓이)$= (6.5 + 15.3 + 9.7) \times 7.6 = 239.4$ (cm²)
→ (도형의 넓이)$= 136.17 + 239.4 = 375.57$ (cm²)

15 떨어진 높이의 0.6배만큼 튀어 오르는 공이 있습니다. 이 공을 9 m의 높이에서 떨어뜨렸을 때, 두 번째로 튀어 오른 공의 높이는 처음에 떨어뜨린 공의 높이보다 몇 m 낮은지 구해 보세요.

(**5.76 m**)

$\clubsuit$ (처음 튀어 오른 공의 높이)$= 9 \times 0.6 = 5.4$ (m)

76 · Jump 5-2 (두 번째로 튀어 오른 공의 높이)$= 5.4 \times 0.6 = 3.24$ (m)

$9 - 3.24 = 5.76$ (m)

[GO! 매쓰]
여기까지 4단원 내용입니다.
다음부터는 5단원 내용이
시작합니다.

유형 ① 모서리 길이의 합 구하기   문제 해결

정답과 풀이 20쪽

1 다음과 같은 직육면체가 있습니다. 모든 모서리 길이의 합이 112 cm일 때, ㉠에 알맞은 수를 구해 보세요.

10 cm
12 cm
㉠cm

❶ 윤하가 직육면체의 모서리에 대해서 설명하고 있습니다. □ 안에 알맞은 수를 써넣으세요.

직육면체에는 길이가 같은 모서리가 **4** 개씩 **3** 쌍 있어요.

윤하

❷ □ 안에 알맞은 수를 써넣으세요.

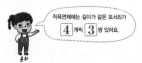
길이가 12 cm, ㉠ cm, 10 cm인 모서리가 각각 **4** 개씩 있습니다.

❸ 직육면체에서 모든 모서리 길이의 합을 구하는 식을 써 보세요.

예 $(12+㉠+10) \times 4 = 112$

❹ ㉠에 알맞은 수를 구해 보세요.

(**6**   )

❖ $(12+㉠+10) \times 4 = 112$, $12+㉠+10 = 28$, $㉠ = 6$

78 · Jump 5-2

2 정육면체의 전개도를 접었을 때 모든 모서리 길이의 합은 몇 cm인지 구해 보세요.

12 cm

정육면체의 모서리 길이는 모두 같아요.

(48 cm   )

❖ (정육면체에서 한 모서리의 길이)$=12 \div 3 = 4$ (cm)
정육면체는 12개의 모서리 길이가 모두 같습니다.
➜ (정육면체에서 모든 모서리 길이의 합)$=4 \times 12 = 48$ (cm)

3 어떤 정육면체에서 모든 모서리 길이의 합은 다음 직육면체에서 모든 모서리 길이의 합과 같습니다. 정육면체에서 한 모서리의 길이는 몇 cm인지 구해 보세요.

9 cm
5 cm
7 cm

(**7 cm**   )

❖ (직육면체에서 모든 모서리 길이의 합)$=(5+7+9) \times 4$
$=21 \times 4 = 84$ (cm)
정육면체는 12개의 모서리 길이가 모두 같습니다.
➜ (정육면체에서 한 모서리의 길이)$=84 \div 12 = 7$ (cm)

5. 직육면체 · 79

5
단원

유형 ② 전개도의 둘레 구하기   문제 해결

정답과 풀이 20쪽

1 직육면체의 전개도입니다. 직육면체 전개도의 둘레는 몇 cm인지 구해 보세요.

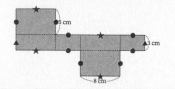
5 cm
3 cm
8 cm

❶ 알맞은 말에 ○표 하세요.

전개도를 접었을 때 만나는 선분의 길이는 (같습니다, 다릅니다).

❷ 전개도의 둘레에 길이가 5 cm인 선분을 모두 ●로 표시하고 몇 개인지 써 보세요.

(**8개**   )

❖ 전개도의 둘레에 길이가 5 cm인 선분이 8개 있습니다.

❸ 전개도의 둘레에 길이가 3 cm인 선분을 모두 ▲로 표시하고 몇 개인지 써 보세요.

(**2개**   )

❖ 전개도의 둘레에 길이가 3 cm인 선분이 2개 있습니다.

❹ 전개도의 둘레에 길이가 8 cm인 선분을 모두 ★로 표시하고 몇 개인지 써 보세요.

(**4개**   )

❖ 전개도의 둘레에 길이가 8 cm인 선분이 4개 있습니다.

❺ 직육면체 전개도의 둘레는 몇 cm인지 구해 보세요.

(**78 cm**   )

❖ 길이가 5 cm인 선분이 8개, 길이가 3 cm인 선분이 2개, 길이가 8 cm인 선분이 4개 있습니다.

80 · Jump 5-2   ➜ (직육면체 전개도의 둘레)$=5 \times 8 + 3 \times 2 + 8 \times 4$
$=40+6+32 = 78$ (cm)

2 한 모서리의 길이가 9 cm인 정육면체의 전개도입니다. 정육면체 전개도의 둘레는 몇 cm인지 구해 보세요.

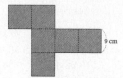
9 cm

(126 cm   )

❖ 전개도의 둘레에는 길이가 9 cm인 선분이 14개 있습니다.
➜ (정육면체 전개도의 둘레)$=9 \times 14 = 126$ (cm)

5
단원

3 직육면체의 전개도입니다. 직육면체 전개도의 둘레는 몇 cm인지 구해 보세요.

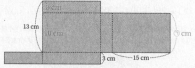
3 cm
13 cm
10 cm
3 cm
15 cm
㉠ cm

(118 cm   )

❖ $㉠ = 13 - 3 = 10$이므로 전개도의 둘레에 길이가 3 cm인 선분이 6개, 길이가 15 cm인 선분이 4개, 길이가 10 cm인 선분이 4개 있습니다.
➜ (직육면체 전개도의 둘레)$=3 \times 6 + 15 \times 4 + 10 \times 4$
$=18+60+40 = 118$ (cm)

5. 직육면체 · 81

유형 ③ 직육면체의 모양 알기 ·추론·

1 어떤 직육면체를 위와 앞에서 본 모양을 그린 것입니다. 이 직육면체를 옆에서 본 모양의 둘레는 몇 cm인지 구해 보세요.

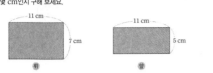

❶ □ 안에 알맞은 수를 써넣으세요.

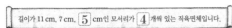

길이가 11 cm, 7 cm, **5** cm인 모서리가 **4** 개씩 있는 직육면체입니다.

❷ 위와 앞에서 본 모양을 보고 직육면체의 겨냥도를 그리고, 길이를 나타내어 보세요.

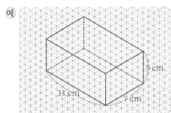

❸ 옆에서 본 모양의 둘레는 몇 cm인지 구해 보세요.

(**24 cm**)

❖ 옆에서 본 모양은 가로가 7 cm, 세로가 5 cm인 직사각형입니다.
➜ (옆에서 본 모양의 둘레)=(7+5)×2=24 (cm)

정답과 풀이 21쪽

2 어떤 직육면체를 세 방향에서 본 모양을 그린 것입니다. 이 직육면체의 모든 모서리 길이의 합은 몇 cm인지 구해 보세요.

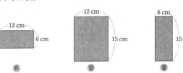

(**132 cm**)

❖ 오른쪽과 같이 길이가 12 cm, 6 cm, 15 cm인 모서리가 4개씩 있는 직육면체입니다.
➜ (모든 모서리 길이의 합)
=(12+6+15)×4
=33×4=132 (cm)

3 어떤 직육면체를 앞과 옆에서 본 모양을 그린 것입니다. 이 직육면체를 위에서 본 모양의 둘레는 몇 cm인지 구해 보세요.

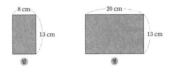

(**56 cm**)

❖ 오른쪽과 같이 길이가 8 cm, 20 cm, 13 cm인 모서리가 4개씩 있는 직육면체입니다.
따라서 위에서 본 모양은 가로가 8 cm, 세로가 20 cm인 직사각형입니다.
➜ (위에서 본 모양의 둘레)
=(8+20)×2
=56 (cm)

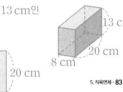

유형 ④ 사용한 끈의 길이 구하기 ·문제 해결·

1 직육면체 모양의 선물 상자를 그림과 같이 끈으로 묶었습니다. 선물 상자를 묶는 데 사용한 끈의 길이는 모두 몇 cm인지 구해 보세요. (단, 매듭으로 사용한 끈의 길이는 20 cm입니다.)

사용한 끈의 길이는 끈이 지나간 모서리 길이의 합에 매듭의 길이를 더해 주어야 해요.

❶ 끈을 주어진 모서리의 길이만큼씩 몇 번 사용하였는지 구해 보세요.

매듭 이외의 부분은 1번씩만 감았어요.

5 cm (**4번**)
11 cm (**4번**)
7 cm (**4번**)

❖ 5 cm씩 4번, 11 cm씩 4번, 7 cm씩 4번 사용하였습니다.

❷ 주어진 모서리의 길이만큼씩 사용한 끈의 길이의 합은 몇 cm인지 구해 보세요.

(**92 cm**)

❖ 5×4+11×4+7×4=20+44+28=92 (cm)

❸ 선물 상자를 묶는 데 사용한 끈의 길이는 모두 몇 cm인지 구해 보세요.

(**112 cm**)

❖ (사용한 끈의 길이)=92+20=112 (cm)

정답과 풀이 21쪽

2 정육면체 모양의 상자에 그림과 같이 색 테이프를 붙였습니다. 상자를 붙이는 데 사용한 색 테이프의 길이는 모두 몇 cm인지 구해 보세요.

(1) 색 테이프를 24 cm씩 몇 번 사용하였는지 구해 보세요.

(**8번**)

❖ 색 테이프를 윗면과 아랫면에 2번씩, 옆면에 1번씩 모두 2×2+4×1=8(번) 사용하였습니다.

(2) 상자를 붙이는 데 사용한 색 테이프의 길이는 모두 몇 cm인지 구해 보세요.

(**192 cm**)

❖ (사용한 색 테이프의 길이)=24×8=192 (cm)

3 정육면체 모양의 선물 상자를 그림과 같이 끈으로 묶었습니다. 매듭을 묶는 데 20 cm를 사용하였고, 사용한 끈의 길이가 모두 200 cm라면 상자의 한 모서리의 길이는 몇 cm인지 구해 보세요.

끈을 윗면, 아랫면, 옆면에 몇 번씩 사용했는지 세어 보세요.

(**15 cm**)

❖ 끈을 윗면과 아랫면에 2번씩, 옆면에 2번씩 모두 2×2+4×2=12(번) 사용하였습니다.
상자의 한 모서리의 길이를 □ cm라 하면 정육면체는 모든 모서리의 길이가 같으므로
□×12+20=200, □×12=180, □=15입니다.
따라서 상자의 한 모서리의 길이는 15 cm입니다.

유형 5 직육면체의 전개도에 선 긋기 추론

정답과 풀이 22쪽

1 왼쪽과 같이 직육면체의 면에 보라색 선을 그었습니다. 이 직육면체의 전개도가 오른쪽과 같을 때, 전개도에 선이 지나가는 자리를 그려 넣어 보세요.

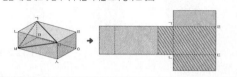

❶ 오른쪽 전개도에 선이 그어진 직육면체의 면을 빗금으로 나타내어 보세요.

❷ 직육면체 전개도의 ☐ 안에 꼭짓점의 기호를 알맞게 써넣으세요.

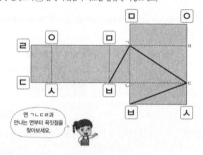

면 ㄱㄴㄷㄹ과 만나는 면끼리 꼭짓점을 찾아보세요.

❸ ❷의 전개도에 선이 지나가는 자리를 그려 넣어 보세요.

❖ 한 면에 있는 꼭짓점 ㄱ과 ㅂ을, 꼭짓점 ㄱ과 ㄷ을, 꼭짓점 ㄷ과 ㅂ을 이어 선이 지나가는 자리를 그립니다.

86 · Jump 5-2

2 왼쪽과 같이 직육면체의 면에 초록색 선을 그었습니다. 이 직육면체의 전개도가 오른쪽과 같을 때, 전개도에 선이 지나가는 자리를 그려 넣어 보세요.

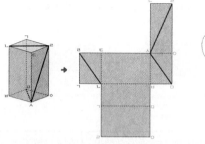

먼저 전개도에 직육면체의 꼭짓점의 위치를 표시해요.

❖ 한 면에 있는 꼭짓점 ㄴ과 ㄹ을, 꼭짓점 ㄹ과 ㅅ을, 꼭짓점 ㅅ과 ㅁ을 이어 선이 지나가는 자리를 그립니다.

3 왼쪽 그림은 과자 상자 위로 개미가 지나간 길을 빨간색 선으로 표시한 것입니다. 이 직육면체의 전개도가 오른쪽과 같을 때, 전개도에 개미가 지나간 자리를 그려 넣어 보세요.

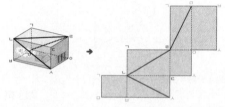

❖ 한 면에 있는 꼭짓점 ㄴ과 ㅅ을, 꼭짓점 ㄴ과 ㄹ을, 꼭짓점 ㄹ과 ㅁ을 이어 개미가 지나가는 자리를 그립니다.

5. 직육면체 · 87

유형 6 정육면체의 전개도 그리기 창의·융합

정답과 풀이 22쪽

1 크기가 같은 정사각형 4개 또는 5개를 이어 붙여 만든 도형이 있습니다. 이 도형에 크기가 같은 정사각형을 이어 붙여 서로 다른 정육면체의 전개도를 완성하려고 합니다. 만들 수 있는 정육면체의 전개도는 모두 몇 가지인지 구해 보세요. (단, 뒤집거나 돌려서 같은 전개도가 되면 1가지로 생각합니다.)

가

나

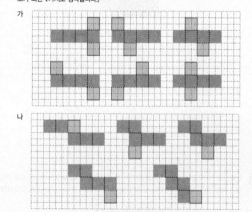

❶ 가에서 정사각형 2개를 더 그려 넣어 서로 다른 정육면체의 전개도를 완성해 보세요.

❷ 나에서 정사각형 1개를 더 그려 넣어 서로 다른 정육면체의 전개도를 완성해 보세요.

❸ 만들 수 있는 정육면체의 전개도는 모두 몇 가지인지 구해 보세요.

❖ 가: 6가지, 나: 5가지   (**11가지**)

88 · Jump 5-2 ➡ 만들 수 있는 정육면체의 전개도는 모두 11가지입니다.

2 준우가 정육면체의 전개도를 잘못 그렸습니다. 잘못된 이유를 설명하고 면 1개를 옮겨 올바른 정육면체의 전개도를 그려 보세요.

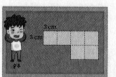

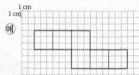

예 **전개도를 접었을 때 서로 겹치는 면이 있습니다.**

3 오른쪽 주사위를 보고 마주 보는 면에 있는 눈의 수의 합이 7이 되도록 정육면체 주사위의 전개도를 그려 보세요.

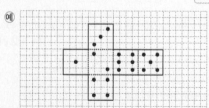

5. 직육면체 · 89

사고력 종합 평가

1 전개도를 접어서 직육면체를 만들었을 때 색칠한 면과 평행한 면을 찾아 색칠해 보세요.

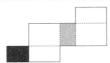

❖ 전개도를 접었을 때 색칠한 면과 마주 보는 면을 찾아 색칠합니다.

2 정육면체의 겨냥도에서 보이지 않는 면을 모두 찾아 써 보세요.

(면 ㄱㄴㅂㅁ, 면 ㄱㅁㅇㄹ, 면 ㅁㅂㅅㅇ)

3 정육면체의 전개도입니다. 전개도를 접었을 때 마주 보는 면의 눈의 수의 합이 7이 되도록 ㉠, ㉡, ㉢에 알맞은 수를 각각 구해 보세요.

㉠ (6)
㉡ (4)
㉢ (5)

❖ 마주 보는 두 면을 찾으면 1과 ㉠, 2와 ㉢, 3과 ㉡입니다.
→ ㉠=7−1=6, ㉡=7−3=4, ㉢=7−2=5

90 · Jump 5-2

4 주사위에서 눈의 수가 4인 면과 수직인 모든 면의 눈의 수의 합을 구해 보세요.

주사위의 마주 보는 면의 눈의 수의 합은 7이에요.

(14)

❖ 눈의 수가 4인 면과 마주 보는 면의 눈의 수는 3입니다.
따라서 3을 제외한 4와 수직인 면의 눈의 수는 1, 2, 5, 6입니다.
→ 1+2+5+6=14

5 직육면체에서 보이는 모서리 길이의 합은 몇 cm인지 구해 보세요.

(72 cm)

❖ 직육면체에서 보이는 모서리는 9개로 3 cm, 13 cm, 8 cm인 모서리가 각각 3개씩입니다.
→ (보이는 모서리 길이의 합)=(3+13+8)×3=72 (cm)

6 한 모서리의 길이가 14 cm인 정육면체의 전개도입니다. 이 정육면체의 전개도의 둘레는 몇 cm인지 구해 보세요.

(196 cm)

❖ 전개도의 둘레에는 길이가 14 cm인 선분이 14개 있습니다.
→ (전개도의 둘레)=14×14=196 (cm)

5. 직육면체 · 91

사고력 종합 평가

7 직육면체에서 모든 모서리 길이의 합은 80 cm입니다. □ 안에 알맞은 수를 구해 보세요.

(7)

❖ 직육면체에서 길이가 8 cm, 5 cm, □ cm인 모서리가 4개씩 있습니다.
(8+5+□)×4=80, 8+5+□=20, □=7

8 어떤 정육면체에서 모든 모서리 길이의 합은 다음 직육면체의 모든 모서리 길이의 합과 같습니다. 정육면체에서 한 모서리의 길이는 몇 cm인지 구해 보세요.

(5 cm)

❖ (직육면체에서 모든 모서리 길이의 합)
=(8+3+4)×4=15×4=60 (cm)
→ (정육면체에서 한 모서리의 길이)=60÷12=5 (cm)

9 직육면체의 전개도입니다. 직육면체 전개도의 둘레는 몇 cm인지 구해 보세요.

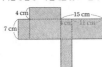

❖ 전개도의 둘레에 길이가 4 cm인 선분이 6개, 길이가 11 cm인 선분이 6개, 길이가 7 cm인 선분이 2개 있습니다.

(104 cm)

→ (직육면체 전개도의 둘레)=4×6+11×6+7×2
=24+66+14=104 (cm)

92 · Jump 5-2

10 어떤 직육면체를 세 방향에서 본 모양을 그린 것입니다. 이 직육면체의 모든 모서리 길이의 합은 몇 cm인지 구해 보세요.

 위
 앞
 옆

(72 cm)

❖ 위와 같이 길이가 5 cm, 7 cm, 6 cm인 모서리가 4개씩 있는 직육면체입니다.
→ (모든 모서리 길이의 합)=(5+7+6)×4
=18×4=72 (cm)

11 왼쪽과 같이 과자 상자에 스티커를 붙였습니다. 이 상자의 전개도가 오른쪽과 같을 때, 스티커를 붙여야 하는 부분을 그려 넣어 보세요.

 → 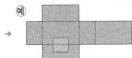 예

12 왼쪽과 같이 정육면체의 면에 선을 그었습니다. 이 정육면체의 전개도가 오른쪽과 같을 때, 전개도에 선이 지나가는 자리를 그려 넣어 보세요.

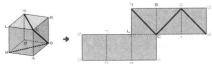

❖ 한 면에 있는 꼭짓점 ㄱ과 ㄷ을, 꼭짓점 ㄷ과 ㅇ을, 꼭짓점 ㅇ과 ㅂ을 이어 선이 지나가는 자리를 그립니다.

5. 직육면체 · 93

정답과 풀이 · 23

사고력 종합 평가

정답과 풀이 24쪽

13 어떤 직육면체를 위와 앞에서 본 모양을 그린 것입니다. 이 직육면체를 옆에서 본 모양의 둘레는 몇 cm인지 구해 보세요.

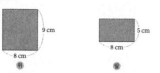

위

앞

(**28 cm**)

❖ 오른쪽과 같이 길이가 8 cm, 9 cm, 5 cm인 모서리가 4개씩 있는 직육면체입니다.
따라서 옆에서 본 모양은 가로가 9 cm, 세로가 5 cm인 직사각형입니다.

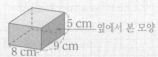

옆에서 본 모양

➜ (옆에서 본 모양의 둘레)$=(9+5)\times2=28$ (cm)

14 직육면체 모양의 상자를 끈으로 묶었습니다. 상자를 묶는 데 사용한 끈의 길이는 몇 cm인지 구해 보세요. (단, 매듭으로 사용한 끈의 길이는 15 cm입니다.)

❖ 끈을 14 cm씩 2번, 8 cm씩 2번, 6 cm씩 4번 사용하였습니다.
(매듭 이외에 사용한 끈의 길이)
$=14\times2+8\times2+6\times4$
$=28+16+24=68$ (cm)

(**83 cm**)

➜ (사용한 끈의 길이)$=68+15=83$ (cm)

15 오른쪽과 같이 정육면체 모양의 상자를 끈으로 묶었습니다. 매듭을 묶는 데 25 cm를 사용하였고, 사용한 끈의 길이가 모두 97 cm라면 상자의 한 모서리의 길이는 몇 cm인지 구해 보세요.

❖ 끈을 윗면과 아랫면에 2번씩, 옆면에 1번씩 모두 $2\times2+4\times1=8$(번) 사용하였습니다.
상자의 한 모서리의 길이를 ☐ cm라 하면
정육면체는 모든 모서리의 길이가 같으므로
☐ $\times8+25=97$, ☐ $\times8=72$, ☐ $=9$입니다.
따라서 상자의 한 모서리의 길이는 9 cm입니다.

(**9 cm**)

94 · Jump 5-2

[GO! 매쓰]
여기까지 5단원 내용입니다.
다음부터는 6단원 내용이
시작합니다.

유형 ① 모르는 자료의 값 구하기   문제 해결

정답과 풀이 24쪽

1 준석이의 과목별 단원평가 점수를 나타낸 표입니다. 과목별 단원평가 점수의 평균이 86점일 때, 단원평가 점수가 평균보다 더 높은 과목을 모두 써 보세요.

과목별 단원평가 점수

과목	국어	수학	사회	과학
점수(점)	82	90		88

와~ 평균이 86점이나 되네!

네! 평균보다 점수가 더 높은 과목이 제가 좋아하는 과목이에요.

❶ 과목별 단원평가 점수의 합은 몇 점일까요?

(**344점**)

❖ (과목별 단원평가 점수의 합)$=86\times4=344$(점)

❷ 사회 단원평가 점수는 몇 점일까요?

(**84점**)

❖ (사회 단원평가 점수)$=344-(82+90+88)$
$=344-260=84$(점)

❸ 단원평가 점수가 평균보다 더 높은 과목을 모두 써 보세요.

(**수학, 과학**)

❖ 단원평가 점수가 평균(86점)보다 더 높은 과목은 수학(90점), 과학(88점)입니다.

96 · Jump 5-2

2 어느 지역의 마을별 고구마 생산량을 나타낸 표입니다. 마을별 고구마 생산량의 평균이 430 kg일 때, 라 마을의 고구마 생산량은 몇 kg인지 구해 보세요.

마을별 고구마 생산량

마을	가	나	다	라	마
생산량(kg)	379	502	464		425

(**380 kg**)

❖ (마을별 고구마 생산량의 합)$=430\times5=2150$ (kg)
➜ (라 마을의 고구마 생산량)$=2150-(379+502+464+425)$
$=2150-1770=380$ (kg)

3 어느 동물원의 요일별 입장객 수를 나타낸 표입니다. 하루 동안 입장객 수의 평균이 114명일 때, 토요일의 입장객 수는 몇 명인지 구해 보세요.

요일별 입장객 수

요일	월	화	수	목	금	토	일
입장객 수(명)	75	106	82	53	79		229

(**174명**)

❖ (요일별 입장객 수의 합)$=114\times7=798$(명)
➜ (토요일의 입장객 수)
$=798-(75+106+82+53+79+229)$
$=798-624=174$(명)

4 현수와 영서의 줄넘기 기록을 나타낸 표입니다. 두 사람의 줄넘기 기록의 평균이 같을 때, 영서는 3회에 줄넘기를 몇 번 했는지 구해 보세요.

현수의 줄넘기 기록

회	1회	2회	3회	4회
기록(번)	52	73	48	59

영서의 줄넘기 기록

회	1회	2회	3회	4회	5회
기록(번)	58	49		70	63

(**50번**)

❖ (현수의 줄넘기 기록의 평균)$=(52+73+48+59)\div4$
$=232\div4=58$(번)
(영서의 줄넘기 기록의 합)$=58\times5=290$(번)
➜ (영서의 3회 줄넘기 기록)$=290-(58+49+70+63)$
$=290-240=50$(번)

6 단원

6. 평균과 가능성 · 97

유형 ② 평균 비교하기 [문제 해결]

1 진주네 모둠과 가영이네 모둠의 학생 수와 수학 점수의 합을 나타낸 표입니다. 어느 모둠의 수학 점수의 평균이 몇 점 더 높은지 구해 보세요.

모둠별 학생 수와 수학 점수

	학생 수(명)	수학 점수의 합(점)
진주네 모둠	7	595
가영이네 모둠	5	440

두 모둠 중 평균이 더 높은 모둠은……

수학 점수의 합은 우리 모둠이 더 높아.

제발……

❶ 진주네 모둠의 수학 점수의 평균은 몇 점일까요?
(**85점**)

❖ (진주네 모둠의 수학 점수의 평균)=595÷7=85(점)

❷ 가영이네 모둠의 수학 점수의 평균은 몇 점일까요?
(**88점**)

❖ (가영이네 모둠의 수학 점수의 평균)=440÷5=88(점)

❸ 어느 모둠의 수학 점수의 평균이 몇 점 더 높을까요?
(**가영이네 모둠**), (**3점**)

❖ 85점<88점이므로 가영이네 모둠의 수학 점수의 평균이 88−85=3(점) 더 높습니다.

2 행복 초등학교와 사랑 초등학교의 학생 수와 운동장의 넓이를 나타낸 표입니다. 어느 초등학교 학생들이 한 명당 운동장을 몇 m² 더 넓게 사용할 수 있는지 구해 보세요.

학교별 학생 수와 운동장의 넓이

	학생 수(명)	운동장의 넓이(m²)
행복 초등학교	372	5208
사랑 초등학교	435	5220

(**행복 초등학교**), (**2 m²**)

❖ 행복 초등학교: 5208÷372=14(m²), 사랑 초등학교: 5220÷435=12(m²)
따라서 14 m²>12 m²이므로 행복 초등학교 학생들이 한 명당 운동장을 14−12=2(m²) 더 넓게 사용할 수 있습니다.

3 민지네 아파트와 승기네 아파트의 동 수와 사람 수를 나타낸 표입니다. 누구네 아파트 동별 사람 수의 평균이 몇 명 더 많은지 구해 보세요.

아파트별 동 수와 사람 수

	동 수(개)	사람 수(명)
민지네 아파트	17	4114
승기네 아파트	14	3864

(**승기네 아파트**), (**34명**)

❖ (민지네 아파트 동별 사람 수의 평균)=4114÷17=242(명)
(승기네 아파트 동별 사람 수의 평균)=3864÷14=276(명)
따라서 242명<276명이므로 승기네 아파트 동별 사람 수의 평균이 276−242=34(명) 더 많습니다.

4 서준이와 정은이의 요일별 독서 시간을 나타낸 표입니다. 누구의 독서 시간의 평균이 몇 분 더 긴지 차례로 구해 보세요.

요일별 독서 시간 (단위: 분)

이름 요일	월	화	수	목	금	토	일
서준	16	29	33	22	41	13	42
정은	25	35	31	26	38	35	34

(**정은**), (**4분**)

❖ (서준이의 독서 시간의 평균)=(16+29+33+22+41+13+42)÷7
　　　　　　　　　　　　　　=196÷7=28(분)
(정은이의 독서 시간의 평균)=(25+35+31+26+38+35+34)÷7
　　　　　　　　　　　　　　=224÷7=32(분)
따라서 28분<32분이므로 정은이의 독서 시간의 평균이 32−28=4(분) 더 깁니다.

6 단원

유형 ③ 더 늘어난 평균 구하기 [문제 해결]

1 종국이네 모둠 학생들이 한 달 동안 읽은 책 수를 나타낸 표입니다. 실제로 종국이가 책을 12권 더 읽었다면 종국이네 모둠이 읽은 책 수의 평균은 몇 권 더 늘어났는지 구해 보세요.

종국이네 모둠이 읽은 책 수

이름	종국	혜미	나래	민수	동현	서진
읽은 책 수(권)	14	20	18	22	15	19

난 12권을 더 읽었어.

와~ 그럼 평균이 몇 권 더 늘어난 걸까?

❶ 종국이네 모둠이 읽은 책 수의 평균은 몇 권일까요?
(**18권**)

❖ (종국이네 모둠이 읽은 책 수의 평균)
=(14+20+18+22+15+19)÷6
=108÷6=18(권)

❷ 실제로 종국이가 책을 12권 더 읽었을 때 종국이네 모둠이 읽은 책 수의 평균은 몇 권일까요?
(**20권**)

❖ (실제로 12권을 더 읽었을 때 읽은 책 수의 평균)
=(108+12)÷6=120÷6=20(권)

❸ 종국이네 모둠이 읽은 책 수의 평균은 몇 권 더 늘어났을까요?
(**2권**)

❖ 종국이네 모둠이 읽은 책 수의 평균은 20−18=2(권) 더 늘어났습니다.

2 보민이네 모둠이 먹은 젤리 수를 나타낸 표입니다. 실제로 보민이가 5개 더 먹었을 때 보민이네 모둠이 먹은 젤리 수의 평균은 몇 개 더 늘어났는지 구해 보세요.

보민이는 5개를 더 먹었어요.

보민이네 모둠이 먹은 젤리 수

이름	보민	지윤	수근	가영	예서
젤리 수(개)	12	17	15	14	22

(**1개**)

❖ (보민이네 모둠이 먹은 젤리 수의 평균)
=(12+17+15+14+22)÷5=80÷5=16(개)
(실제로 5개 더 먹었을 때 먹은 젤리 수의 평균)=(80+5)÷5=17(개)
따라서 보민이네 모둠이 먹은 젤리 수의 평균은 17−16=1(개) 더 늘어났습니다.

3 어느 제과점의 요일별 식빵 판매량을 나타낸 표입니다. 실제로 수요일에 식빵이 25개 더 팔렸을 때 식빵 판매량의 평균은 몇 개 더 늘어났는지 구해 보세요.

수요일에 25개가 더 팔린 걸 깜빡했어요.

요일별 식빵 판매량

요일	월	화	수	목	금
판매량(개)	42	37	30	41	35

(**5개**)

❖ (요일별 식빵 판매량의 평균)
=(42+37+30+41+35)÷5=185÷5=37(개)
(실제로 25개 더 팔렸을 때 식빵 판매량의 평균)
=(185+25)÷5=210÷5=42(개)
따라서 식빵 판매량의 평균은 42−37=5(개) 더 늘어났습니다.

4 세진이의 성적을 나타낸 표입니다. 실제로 세진이의 영어 점수가 20점 더 높아졌을 때 세진이의 성적의 평균은 몇 점 더 높아졌는지 구해 보세요.

영어 점수가 20점 더 높아졌어요.

세진이의 성적

과목	국어	수학	사회	과학	영어
점수(점)	90	80	85	75	70

(**4점**)

❖ (세진이의 성적의 평균)
=(90+80+85+75+70)÷5=400÷5=80(점)
(실제로 20점 더 높아졌을 때 성적의 평균)
=(400+20)÷5=420÷5=84(점)
따라서 세진이의 성적의 평균은 84−80=4(점) 더 높아졌습니다.

6 단원

GO! 매쓰 Jump 정답

유형 ④ 일이 일어날 가능성의 활용 〔추론〕

1 상자 속에 빨간색 구슬 5개, 파란색 구슬 2개, 노란색 구슬 몇 개가 있습니다. 그중에서 1개를 꺼낼 때 꺼낸 구슬이 빨간색일 가능성을 수로 표현하면 $\frac{1}{2}$입니다. 노란색 구슬은 몇 개인지 구해 보세요.

❶ 빨간색 구슬은 전체 구슬 수의 얼마인지 분수로 나타내어 보세요.

($\frac{1}{2}$)

✤ 꺼낸 구슬이 빨간색일 가능성이 $\frac{1}{2}$이므로 빨간색 구슬은 전체 구슬 수의 $\frac{1}{2}$입니다.

❷ 전체 구슬은 몇 개인지 구해 보세요.

(10개)

✤ 빨간색 구슬은 5개이고 전체 구슬 수의 $\frac{1}{2}$이므로 전체 구슬은 $5 \times 2 = 10$(개)입니다.

❸ 노란색 구슬은 몇 개인지 구해 보세요.

(3개)

✤ 전체 구슬은 10개이므로 노란색 구슬은 $10 - 5 - 2 = 3$(개)입니다.

102 · Jump 5-2

---

2 상자 속에 파란색 구슬 3개, 분홍색 구슬 4개, 검은색 구슬 몇 개가 있습니다. 그중에서 1개를 꺼낼 때 꺼낸 구슬이 분홍색일 가능성을 수로 표현하면 $\frac{1}{2}$입니다. 검은색 구슬은 몇 개인지 구해 보세요.

먼저 분홍색 구슬은 전체 구슬 수의 얼마인지 알아보세요.

✤ 꺼낸 구슬이 분홍색일 가능성이 (1개)

$\frac{1}{2}$이므로 분홍색 구슬은 전체 구슬 수의 $\frac{1}{2}$입니다.

분홍색 구슬은 4개이고 전체 구슬 수의 $\frac{1}{2}$이므로 전체 구슬은 $4 \times 2 = 8$(개)입니다.

따라서 검은색 구슬은 $8 - 3 - 4 = 1$(개)입니다.

3 주머니 속에 주황색 공 4개, 초록색 공 3개, 보라색 공 몇 개가 있습니다. 그중에서 1개를 꺼낼 때 꺼낸 공이 보라색일 가능성을 수로 표현하면 $\frac{1}{2}$입니다. 보라색 공은 몇 개인지 구해 보세요.

✤ 보라색 공의 수를 ☐개라 하면 전체 공의 수는 (7개)
$4 + 3 +$ ☐ $= 7 +$ ☐(개)입니다.

그중에서 1개를 꺼낼 때 꺼낸 공이 보라색일 가능성이 $\frac{1}{2}$이므로 보라색 공은 전체 공 수의 $\frac{1}{2}$입니다. 따라서 주황색과 초록색 공의 수의 합이 $4 + 3 = 7$(개)이고, 전체의 절반이 보라색이므로 보라색 공은 7개입니다.

4 상자 속에 수 카드가 6장 있습니다. 그중에서 1장을 꺼낼 때 꺼낸 카드의 수가 12의 약수일 가능성을 수로 표현하면 1입니다. 상자 속에 들어 있는 수 카드의 수를 모두 써 보세요.

(1, 2, 3, 4, 6, 12)

✤ 꺼낸 카드의 수가 12의 약수일 가능성이 1이므로 수 카드의 수는 모두 12의 약수입니다.
따라서 12의 약수는 1, 2, 3, 4, 6, 12이므로 상자 속에 들어 있는 수 카드의 수는 1, 2, 3, 4, 6, 12입니다.

6. 평균과 가능성 · 103

유형 ⑤ 전체 평균 구하기 〔문제 해결〕

1 지윤이네 모둠 남학생과 여학생 각각의 학생 수와 몸무게의 평균입니다. 지윤이네 모둠 전체 학생들의 몸무게의 평균은 몇 점인지 구해 보세요.

몸무게의 평균

| 남학생 12명 | 52 kg |
| 여학생 6명 | 40 kg |

남학생들과 여학생들의 몸무게의 평균이 차이가 많이 나요!

우리 반 전체 학생들의 몸무게의 평균을 구하면 평균이 달라질 거란다.

❶ 남학생 12명의 몸무게의 합은 몇 kg일까요?

(624 kg)

✤ (남학생 12명의 몸무게의 합)$= 52 \times 12 = 624$(kg)

❷ 여학생 6명의 몸무게의 합은 몇 kg일까요?

(240 kg)

✤ (여학생 6명의 몸무게의 합)$= 40 \times 6 = 240$(kg)

❸ 지윤이네 모둠 전체 학생 수는 몇 명일까요?

(18명)

✤ (전체 학생 수)$= 12 + 6 = 18$(명)

❹ 지윤이네 모둠 전체 학생들의 몸무게의 평균은 몇 kg일까요?

(48 kg)

✤ (전체 학생들의 몸무게의 평균)$= (624 + 240) \div 18$
$= 864 \div 18 = 48$(kg)

104 · Jump 5-2

---

2 준호네 반 남학생과 여학생 각각의 학생 수와 수학 점수의 평균입니다. 준호네 반 전체 학생들의 수학 점수의 평균은 몇 점인지 구해 보세요.

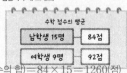

수학 점수의 평균

| 남학생 15명 | 84점 |
| 여학생 9명 | 92점 |

✤ (남학생 15명의 수학 점수의 합)$= 84 \times 15 = 1260$(점)
(여학생 9명의 수학 점수의 합)$= 92 \times 9 = 828$(점) (87점)
(전체 학생 수)$= 15 + 9 = 24$(명)
➡ (전체 학생들의 수학 점수의 평균)$= (1260 + 828) \div 24 = 2088 \div 24 = 87$(점)

3 지수네 모둠 남학생과 여학생 각각의 학생 수와 하루 동안 스마트폰 이용 시간의 평균입니다. 지수네 모둠 전체 학생들의 하루 동안 스마트폰 이용 시간의 평균은 몇 분인지 구해 보세요.

하루 동안 스마트폰 이용 시간의 평균

| 남학생 6명 | 72분 |
| 여학생 9명 | 52분 |

✤ (남학생 6명의 스마트폰 이용 시간의 합)$= 72 \times 6 = 432$(분) 60분
(여학생 9명의 스마트폰 이용 시간의 합)$= 52 \times 9 = 468$(분)
(전체 학생 수)$= 6 + 9 = 15$(명)

4 어느 회사의 남자 직원과 여자 직원 각각의 사람 수와 나이의 평균입니다. 이 회사의 전체 직원들의 나이의 평균은 몇 살인지 구해 보세요.

나이의 평균

| 남자 직원 30명 | 49살 |
| 여자 직원 20명 | 44살 |

✤ (남자 직원 30명의 나이의 합)$= 49 \times 30 = 1470$(살) (47살)
(여자 직원 20명의 나이의 합)$= 44 \times 20 = 880$(살)
(전체 직원 수)$= 30 + 20 = 50$(명)
➡ (전체 직원들의 나이의 평균)$= (1470 + 880) \div 50 = 2350 \div 50 = 47$(살)

6. 평균과 가능성 · 105

➡ (전체 학생들의 스마트폰 이용 시간의 평균)
$= (432 + 468) \div 15 = 900 \div 15 = 60$(분)

유형 ⑥ 가능성을 수로 표현하기 〔추론〕

1 상자 안에 4장의 수 카드가 들어 있습니다. 이 중에서 2장을 꺼내어 두 자리 수를 만들 때 5의 배수일 가능성을 수로 표현해 보세요.

❶ 4장의 수 카드 중 2장을 꺼내어 만들 수 있는 두 자리 수는 모두 몇 가지일까요?

(**9가지**)

✧ 만들 수 있는 두 자리 수는 20, 23, 27, 30, 32, 37, 70, 72, 73으로 모두 9가지입니다.

❷ ❶에서 만들 수 있는 수 중에서 5의 배수는 몇 가지일까요?

(**3가지**)

✧ 5의 배수: 20, 30, 70 ➜ 3가지
[참고] 5의 배수는 일의 자리 숫자가 0 또는 5이어야 합니다.

❸ 만들 수 있는 두 자리 수 중에서 5의 배수일 가능성을 수로 표현해 보세요.

$$\frac{(5의\ 배수일\ 가짓수)}{(만들\ 수\ 있는\ 두\ 자리\ 수의\ 가짓수)}=\frac{3}{9}=\frac{1}{3}$$

✧ 전체 9가지 중 3가지이므로 가능성을 수로 표현하면 $\frac{3}{9}=\frac{1}{3}$ 입니다.

---

2 3장의 수 카드 중에서 2장을 골라 두 자리 수를 만들 때 홀수일 가능성을 수로 표현해 보세요.

2 4 6

✧ 주어진 수가 모두 짝수이므로 홀수를 만들 수 없습니다. (**0**)
따라서 홀수일 가능성은 '불가능하다'이므로 수로 표현하면 0입니다.

3 4장의 수 카드 중에서 2장을 골라 두 자리 수를 만들 때 짝수일 가능성을 수로 표현해 보세요.

1 5 6 9

($\frac{1}{4}$)

✧ 만들 수 있는 두 자리 수는
15, 16, 19, 51, 56, 59, 61, 65, 69, 91, 95, 96으로
모두 12가지이고, 이 중에서 짝수는 16, 56, 96으로 3가지입니다.
따라서 만든 두 자리 수가 짝수일 가능성을 수로 표현하면 $\frac{1}{4}\left(=\frac{3}{12}\right)$ 입니다.

4 오른쪽과 같이 동전 한 개와 주사위 한 개를 동시에 던졌을 때 동전은 그림 면, 주사위 눈의 수는 6의 약수가 나올 가능성을 수로 표현해 보세요.

(1) 동전을 던졌을 때 나올 수 있는 경우는 몇 가지일까요?

(**2가지**)

✧ 그림 면, 숫자 면 ➜ 2가지

(2) 주사위를 던졌을 때 나올 수 있는 경우는 몇 가지일까요?

(**6가지**)

✧ 1, 2, 3, 4, 5, 6 ➜ 6가지

(3) 동전 한 개와 주사위 한 개를 동시에 던졌을 때 나올 수 있는 경우는 모두 몇 가지인지 □ 안에 알맞은 수를 써넣으세요.

✧ 동전이 그림 면, 숫자 면으로
2가지가 나올 때 주사위 눈의 수는 각각 6가지씩 나올 수 있습니다. $2 \times \boxed{6} = \boxed{12}$ (가지)

(4) 동전은 그림 면, 주사위 눈의 수는 6의 약수가 나올 가능성을 수로 표현해 보세요.

($\frac{1}{3}$)

✧ 6의 약수는 1, 2, 3, 6이므로 (그림 면, 1), (그림 면, 2),
(그림 면, 3), (그림 면, 6)으로 4가지가 나올 수 있습니다.
따라서 동전은 그림 면, 주사위 눈의 수는 6의 약수가 나올 가능성은
12가지 중 4가지이므로 가능성을 수로 표현하면 $\frac{1}{3}\left(=\frac{4}{12}\right)$ 입니다.

6 단원

사고력 종합 평가

1 주머니 속에 주황색 구슬 2개, 파란색 구슬 2개가 들어 있습니다. 주머니에서 구슬 1개를 꺼낼 때 꺼낸 구슬이 초록색일 가능성을 수로 표현해 보세요.

(**0**)

✧ 꺼낸 구슬이 초록색일 가능성은 '불가능하다'이므로 수로 표현하면 0입니다.

2 다음 수들의 평균을 구해 보세요.

1부터 15까지의 자연수

〔1부터 15까지의 수를 차례로 쓴 다음, 합이 같도록 두 수씩 짝 지어 구해 보세요.〕

✧ $1+2+3+4+\cdots\cdots+12+13+14+15$ (**8**)

(1부터 15까지의 자연수의 합)
$=16 \times 7 + 8 = 112 + 8 = 120$
➜ (평균) $= 120 \div 15 = 8$

3 가희네 모둠 학생 4명의 키의 평균은 148 cm입니다. 가희네 모둠 학생 4명의 키의 합은 몇 cm인지 구해 보세요.

(**592 cm**)

✧ (가희네 모둠 학생 4명의 키의 합) $= 148 \times 4 = 592$ (cm)

---

4 3장의 수 카드를 한 번씩만 사용하여 세 자리 수를 만들 때 만든 수가 짝수일 가능성을 수로 표현해 보세요.

1 5 7

✧ 짝수가 되려면 일의 자리 숫자가 0, 2, 4, 6, 8 중   (**0**)
하나여야 합니다.
3장의 수 카드에 0, 2, 4, 6, 8이 하나도 없으므로 만든 세 자리 수가
짝수일 가능성은 '불가능하다'이며, 수로 표현하면 0입니다.

5 회전판을 돌렸을 때 화살이 8의 약수에 멈출 가능성을 수로 표현해 보세요.

✧ 회전판의 수는 1부터 8까지의 수로
8가지이고 8의 약수는 1, 2, 4, 8로 4가지입니다.   ($\frac{1}{2}$)
따라서 회전판을 돌렸을 때 화살이 8의 약수에 멈출
가능성은 '반반이다'이며, 수로 표현하면 $\frac{1}{2}\left(=\frac{4}{8}\right)$ 입니다.

6 영호가 5일 동안 책을 읽은 시간을 나타낸 표입니다. 책을 읽은 시간의 평균이 55분일 때, 수요일에 책을 읽은 시간을 구해 보세요.

5일 동안 책을 읽은 시간

요일	월	화	수	목	금
시간(분)	50	42		75	54

(**54분**)

✧ (5일 동안 책을 읽은 시간의 합) $= 55 \times 5 = 275$ (분)
➜ (수요일에 책을 읽은 시간) $= 275 - (50 + 42 + 75 + 54)$
$= 275 - 221 = 54$ (분)

6 단원

사고력 종합 평가

정답과 풀이 26쪽

(동건이가 하루에 운동한 시간의 평균)=264÷11=24(분)
(지훈이가 하루에 운동한 시간의 평균)=279÷9=31(분)

7 동건이와 지훈이가 운동한 날수와 운동한 시간의 합을 나타낸 표입니다. 누가 하루에 평균 몇 분 더 많이 운동했다고 할 수 있는지 차례로 구해 보세요.

운동한 시간

	운동한 날수(일)	운동한 시간의 합(분)
동건	11	264
지훈	9	279

(**지훈**), (**7분**)

따라서 24분<31분이므로 지훈이가 하루에 평균
31−24=7(분) 더 많이 운동했다고 할 수 있습니다.

8 500원짜리 동전 2개를 동시에 던졌습니다. 서로 같은 면이 나올 가능성을 수로 표현해 보세요.

동전 2개를 동시에 던졌을 때 서로 같은 면은
또는 이 나올 경우예요.

($\frac{1}{2}$)

9 오른쪽은 신라시대의 유물인 주령구와 같은 모양으로 면이 14개인 주사위입니다. 1부터 14까지의 수가 적힌 이 주사위를 던졌을 때 14의 약수가 나올 가능성을 수로 표현해 보세요.

주령구란 정사각형 면 6개와 육각형 면 8개로 이루어진 14면체 주사위예요.

주령구

($\frac{2}{7}$)

❖ 주사위의 면이 나오는 경우는 모두 14가지이고 14의 약수는
1, 2, 7, 14로 4가지이므로 주사위를 던졌을 때 14의 약수가

나올 가능성을 수로 표현하면 $\frac{2}{7}\left(=\frac{4}{14}\right)$입니다.

10 주머니 속에 보라색 구슬 3개, 초록색 구슬 1개, 파란색 구슬 몇 개가 있습니다. 그중에서 1개를 꺼낼 때 꺼낸 구슬이 보라색일 가능성을 수로 표현하면 $\frac{1}{2}$입니다. 파란색 구슬은 몇 개인지 구해 보세요.

❖ 꺼낸 구슬이 보라색일 가능성이 $\frac{1}{2}$이므로 (**2개**)

보라색 구슬은 전체 구슬 수의 $\frac{1}{2}$입니다.

따라서 전체 구슬은 3×2=6(개)이므로 파란색 구슬은 6−3−1=2(개)입니다.

11 지난달 영규네 학교 5학년 반별 학급문고 수를 나타낸 표입니다. 이번 달에 3반의 학급문고 수가 16권 더 많아졌을 때 반별 학급문고 수의 평균은 지난달보다 몇 권 더 늘어났는지 구해 보세요.

반별 학급문고 수

반	1반	2반	3반	4반
학급문고 수(권)	48	56	52	60

(**4권**)

❖ (지난달 반별 학급문고 수의 평균)=(48+56+52+60)÷4=216÷4=54(권)
(이번 달 반별 학급문고 수의 평균)=(216+16)÷4=232÷4=58(권)
따라서 반별 학급문고 수의 평균은 지난달보다 58−54=4(권) 더 늘어났습니다.

6 단원

12 승기네 모둠 남학생과 여학생 각각의 학생 수와 키의 평균입니다. 승기네 모둠 전체 학생들의 키의 평균은 몇 cm일까요?

키의 평균

남학생 4명	152 cm
여학생 3명	145 cm

(**149 cm**)

❖ (남학생 4명의 키의 합)=152×4=608(cm)
(여학생 3명의 키의 합)=145×3=435(cm)
(전체 학생 수)=4+3=7(명)
➔ (전체 학생들의 키의 평균)=(608+435)÷7
=1043÷7=149(cm)

❖ 500원짜리 동전 2개를 동시에 던졌을 때 나오는 경우는 (그림 면, 그림 면),
(숫자 면, 숫자 면), (그림 면, 숫자 면), (숫자 면, 그림 면)의 4가지이고, 이 중
서로 같은 면이 나오는 경우는 (그림 면, 그림 면), (숫자 면, 숫자 면)으로 2가
지입니다.
따라서 서로 같은 면이 나올 가능성은 '반반이다'이므로 수로 표현하면
$\frac{1}{2}\left(=\frac{2}{4}\right)$입니다.

사고력 종합 평가

정답과 풀이 26쪽

13 오른쪽과 같이 100원짜리 동전 한 개와 주사위 한 개를 동시에 던졌을 때 동전은 숫자 면, 주사위 눈의 수는 2의 배수가 나올 가능성을 수로 표현해 보세요.

❖ 나올 수 있는 모든 경우: 2×6=12(가지)
동전은 숫자 면, 주사위 눈의 수는 2의 배수가
나오는 경우: (숫자 면, 2), (숫자 면, 4), (숫자 면, 6) ➔ 3가지
따라서 동전은 숫자 면, 주사위 눈의 수는 2의 배수가 나올 가능성은

($\frac{1}{4}$)

12가지 중 3가지이므로 가능성을 수로 표현하면 $\frac{1}{4}\left(=\frac{3}{12}\right)$입니다.

14 종현, 민수, 준호가 100 m 달리기를 한 횟수와 기록의 합을 나타낸 표입니다. 기록이 가장 빠른 사람과 가장 느린 사람의 기록 평균의 차는 몇 초인지 구해 보세요.

100 m 달리기 기록

	횟수(번)	기록의 합(초)
종현	7	126
민수	11	154
준호	8	128

(**4초**)

❖ (종현이의 기록의 평균)=126÷7=18(초) ➔ 기록이 가장 느린 사람
(민수의 기록의 평균)=154÷11=14(초) ➔ 기록이 가장 빠른 사람
(준호의 기록의 평균)=128÷8=16(초)
➔ 18−14=4(초)

15 성준이의 국어, 영어, 수학 점수의 평균은 83점이고, 사회, 과학 점수의 평균은 93점입니다. 성준이의 다섯 과목 점수의 평균은 몇 점인지 구해 보세요.

(**87점**)

❖ (국어, 영어, 수학 점수의 합)=83×3=249(점)
(사회, 과학 점수의 합)=93×2=186(점)
(과목 수의 합)=3+2=5(과목)
➔ (성준이의 다섯 과목 점수의 평균)=(249+186)÷5
=435÷5=87(점)

[GO! 매쓰]
수고하셨습니다.

누구나
쉽고 재미있게
시작하는

노크
시리즈

사고력 수학 노크(총 40권)

PA단계(8권)
7~8세 권장

A단계(8권)
8~9세 권장

B단계(8권)
9~10세 권장

C단계(8권)
10~11세 권장

D단계(8권)
11~12세 권장

영역별 구성

창의력과 **사고력**이
쑥쑥 자라는 수학 전문서

 실생활 소재로 수학의 흥미와 관심 UP!

 다양한 유형의 창의력 문제 수록

 융합적 사고력을 높여주는 구성

 초등 수학과 연계

Go! 매쓰

수학 5-2

정답과 풀이

Jump

유형 사고력

Run

교과서 사고력

Start

교과서 개념